Also by Vasyl Makhno

Thread and Selected New York Poems (2009)

WINTER LETTERS

and Other Poems

Vasyl Makhno

Translated from the Ukrainian by Orest Popovych

SPUYTEN DUYVIL

New York City

Acknowledgments

Some of these poems first appered in the following publications:
Interlitq *(Winter Letters: My Father, Eugene, Staten Island)*
International Poetry Review (*Berlin/October 2008, The Courtyard, Eugene*)
The Mad Hatters' Review (*Sighetu Marmatiei, Dacia 1300, Booze*)

ISBN 978-0-923389-86-4

Library of Congress Cataloging-in-Publication Data

Makhno, Vasyl.
Winter letters and other poems / Vasyl Makhno ;
translated from the Ukrainian by Orest Popovych.
p. cm.
ISBN 978-0-923389-86-4
I. Popovych, Orest. II. Title.
PG3949.23.A56W56 2011
891.7'914--dc23
2011023447

ЗМІСТ / CONTENTS

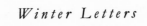
Winter Letters

Зимові листи/батько

1

знаєш мій батько ровесник Джона який Леннон
коли Джон співав він закладав клему
і закладав також при кінці тижня тому що шофер
щось там ламалось - гасли «свічки» залиті бензином -
бітли літали до Індії - минали зими
і діти квітів ламали стебла і строфи

знаєш містечко: кілька авт – ратуша - ринок
бруківка котра укладалась століттям як вірш в риму
шиби в будинках тремтіли немов скрипкова дека
кінець 50-тих: діти війни - зламане покоління
в плащі із шевйоту в гумовцях що аж по коліна
стоїть на автобусній моя мама – студентка

знаєш в музичних класах: баян гітара чи домбра
музика вимагає пожертви немов від донора
оркестра із педучилища в збереженій синагозі
тепер вже районному клубі - гріється від кірогазу
в новенькім «газоні» - затягуючись раз до разу –
мій батько чекає на маму – на розі

знаєш за кілька років їх шлюб невдалий розпався
музика раптом змінилась - я підріс і розпасся
Джон що пошлюбив Йоко очолить колони гіпі
стане співати про квіти - замінить одяг і стилі
запуситить бороду/вуса наче пророк у пустелі
його привабить свобода і ліві

знаєш містечко також зміниться бо військові
частини прийдуть в касарні льотчики і зв'язкові
весняні й осінні призови циклічні як стан природи
співатимуть пісню Джона: про вчора і позавчора
і про нещасне кохання - а поодинці й хором -
про те що проходить

знаєш на розі вулиць де батько чекав на маму
музика не змінилась я чую її ту саму
і чую як та оркестра збивається з ритму і нути
і Джон що лежить на асфальті - застрелений у Нью-Йорку -
в затемнених окулярах уже постаріла Йоко
і музику як розлучення мені не збагнути

знаєш тому що мій батько ровесник Леннона Джона
я бачу його молодого що мчить у кабіні «газона»
а мама стоїть на розі підспівуючи "Let It Be"
вона його дівчина і він поспішає летить
ще мить їм лишається - справді ще мить
а музика їхня залишиться тільки тобі

WINTER LETTERS/ My Father

1

you know my father was the same age as John Lennon
when John was singing it was batteries he clamped on
and on weekends he would also tie one on as a car mechanic
something would always break - plugs flooded by gas would fail
Beatles would fly to India - winters were passing by
and the flower children were breaking stalks and stanzas

you know the little town: a few cars - city hall - market square
cobblestones set over centuries like verse in rhyme
window panes in buildings vibrated like a violin deca
end of the 50's: the children of war - a damaged generation
wearing a cheviot coat in rubber boots knee-high
standing at the bus stop was my mother - a student

you know in music classes: accordion guitar or dombra*
music demands a sacrifice as if from a donor
the school of ed orchestra in a former synagogue
now converted to a district club - is kept warm by a kerosene stove
in his brand-new truck dragging repeatedly on his cigarette -
my father is waiting for my mother - on the corner

you know after a few years their failed marriage fell apart
the music had suddenly changed - I grew and fattened up
John who married Yoko headed throngs of hippies
started singing about flowers - altered his wardrobe and style
grew a beard/moustache like a prophet in the wilds
allured by freedom and the leftists

you know that little town will also change as military
units occupy the barracks airmen and corpsmen
the spring and fall draftees as cyclical as nature's seasons
will sing John's songs: about yesterday and the day before
about unrequited love - singly and in chorus -
about all that passes by

you know on the street corner where my father awaited my mother
the music has not changed it sounds the same to me
and I hear that orchestra off tune and off beat
and John lying on the pavement - shot in New York -
in her dark glasses by now the aged Yoko
and the music like divorce I simply don't get

you know because my father was the same age as John Lennon
I see him as a young man speeding in the cab of his "hazon"**
while my mother stands on the corner waiting humming "Let It Be"
she is his girl and he is hurrying flying
they have but a brief moment left - indeed only an eyewink
but their music and the music of the Beatles will remain with me

*Dombra - a Kazakh string instrument
**Hazon - a Soviet truck

2

До Нью-Йорку також дійшли волхви і настало Різдво
і також на ослиці втікають Марія і Йосип удвох
і різдвяний місяць блищить як новенький цент
і також кутя - і січневі сніги падають цілу ніч в океан
і Бродвей хрустить як свіжий croissant
і Рокефелер-центр

й крізь різдвяну ніч що не мислить себе волхвом
ані вовком самотнім дивиться вслід тим двом
Юджин мій приятель - що входить в зимовий сад
вулиць нью-йоркських – й шукає ключі і замок
може тому й виглядає як загнаний вовк
і самотній Сартр

лише там в підсвідомості у колишнім своїм житті
він ще ситий снігами - там наївся досхочу куті
там не знає Нью-Йорка - не платить щомісяця рент
домовласник не тягне до суду за музику і книжки
і самотність не вивертає кишки
і не тягне за руку "Strand"

Юджин звично стоїть навпроти русинської церкви
нишпорить по кишенях шукає коп'юри і центи
знає кожен провулок - й про Троцького і Воргола
нарікає на старість – й на смерть котра не придасться
в торбі носить своє невелике щастя
на котрій рекламується кока-кола

старість для Юджина значить призначення музики
шалик - беретка - в пальті повідривані ґудзики
вікна в квартирі закладені книгами від паркету
постійна самотність що ходить за ним наче вбивця
кава на столику запах якої пролився
як молоко із пакета

і тому що волхви проминули Шосту і Сьому вулиці
Юджин вірить що сніг це бджоли які покидають вулики
якраз на Різдво - і ця думка солодка немов халва
що протягнеться лінією диму з маріхуани
Юджин бачить зустрічного мексиканця Хуана
а думає що волхва

але свято минає хоч завжди воно з тобою в зимі
і ми з Юджином разом але завжди в Нью-Йорку самі
він в пальті мов розхристаний ангел звертає убік
і з торбами книжок що волочить по мокрім асфальті
Дві солістки що вибігли в зиму з будинку Amato
сповіщають: закінчився рік

WINTER LETTERS/ Eugene

2

The magi have also arrived in New York and so did Christmas
as Mary and Joseph are fleeing together on a donkey
and the Christmas moon shines like a brand-new penny
and also the kutya* - and the January snow fall into the ocean all night long
and Broadway is crunching like a fresh croissant
and so does Rockefeller Center

and through the Christmas night one who doesn't think himself a magus
nor a lone wolf watching the path of those two
is my friend Eugene - he enters the wintry orchard
of New York streets - and searches for his keys and lock
perhaps that's why he looks like a pursued wolf
and a lonely Sartre

only there in the subconscious mind of his previous life
he is still sated with snows - there he had his fill of kutya
there he knows no New York - doesn't pay monthly rent
the landlord doesn't drag him to court for his music and books
there the loneliness does not wrench his guts
and the Strand** does not pull him by the hand

Eugene usually stands across from the Carpatho-Ruthenian church
fumbles in his pockets for bills and change
he knows every alley - he knows about Trotsky and Warhol
complains about old age - and about the death he could do without
his small fortune he carries in a bag
with a Coca-Cola ad

to Eugene old age means the destiny of music
scarf - beret - overcoat with missing buttons
windows in his apartment blocked by books from the floor up
the constant loneliness that stalks him like a killer
on his table there is coffee the smell of which has spilled out
like milk from a carton

and because the magi have by-passed the Sixth and Seventh streets
Eugene believes that the snow is really bees that leave their hives
right on Christmas - and this thought is as sweet as halvah
stretching as a trail of marijuana smoke
Eugene encounters a Mexican named Juan
and takes the man for a magus

but the holidays are passing though they always abide with you throughout winter
Eugene and I are together but always alone in New York
in his overcoat like a disheveled angel he turns the corner
dragging bags full of books on the wet asphalt
two female soloists run outside into the cold from the Amato Opera building
to announce: the year had ended

*Kutya is a traditional Ukrainian Christmas dish
**Strand is a known bookstore in New York's Greenwich Village

3

Я доїхав до Coney Island — I застав порожнім сабвей:
пасажири викотились з вагонів - потім з дверей
Кукурудзою пахло в повітрі со́лодко - наче портвейн
в підворітні з горла́ -

Січень снігом загнав під піддашшя лише горобців
наче снайпер з будинку бере ці місця на приціл
Перед шабасом -поспіх – При будинках самотні курці
з кольорового скла

Я прийняв Coney Island коли Ваня тут з Педро бухав
Танцівник у штиблетах наркоту підпільно спихав
- псих місцевий - жонглюючи світлом - і ловлячи ґав
наче кловн у цирку

пританцьовував звично Вані значить не знав цей когут
кактус Педро засох - бобік здох - не затримавшись тут
Ці січневі сніги за кентами моїми салют
за бухло і за ширку

Я знайшов їх на станції як занюханий хліб з бакалій
Ваня Педро і Коля розпивали на пляжнім столі
і побачивши мій зацікавлений погляд масний наче лій
хтось із них мене кликнув

Coney Island світився - лящали сабвеї - пищали щурі
Педро впився і плакав – пес на пляжі дурів
Ваня в хмари вдивлявся пильнуючи їх наче стадо корів
Коля з остраху сикнув

бо міхур мав простуджений спав на пляжі в зимі на піску
Педро – в спальнику Ваня - ув інвалідськім візку
і дивились щоранку - як діти тяглися до Private School -
похмеляючись Whiskey

ну не діти звісно - а ці доходяги станційні кенти
Коля мріє про персінг Педро міряє оком кути
Ваня звично цигарку для себе скрутив
із чужої записки

ну і хмар череда кольорових корів зі свічками на ро́гах
що для Педра - *mañana mujer* і *rojo*
і він плаче тому що його хтось сполохав
чи сполохав корів

Ваню теж ощасливлю він зустріне на станції Зінку
буде скаржитися на долю безгрошів'я і селезінку
Зінка теж торохтітиме Вані наче машинка Зінґер
і про вірність і про курвів

Ваня знає хто є страхополохом для Кольки
м'язисті пуерторіки: пальці - в браслетах плечі - в наколках
і їхні дівиці широкозаді голосисті мов сойки
і сирени також

Я доїхав на Coney Island: січень стояв при пляжі
Зінку я видав заміж Ваня помер – повна лажа
Педро знову на Брайтоні: ящики носить чи м'ясо смажить
отже повний Dali чи Bosch

Крутить колесо світом - снігом - життям героїв
перемішались вулиці – потяги - поділ юдеї/ґої
і я шукаю акторів щоби наситись грою
мною придуманих п'єс

тому що в цім місці зимовім зачохлені атракціони
протягом тижня повсюди білі завіси й заслони
і за кентами моїми крізь сніги – часові пояси і зони -
скавулить покинутий пес

WINTER LETTERS/ Coney Island

3

I arrived at Coney Island - and discovered an empty subway
passengers rolled out of the cars - then poured out the doors
the air smelled of corn sweet - as port wine
drunk straight out of a bottle in a doorway

The January snow has chased under the roofs only the sparrows
like a sniper taking aim at these places from a building
a rush before the Sabbath - Lonesome smokers by the buildings
with stained glass

I knew Coney Island when Vanya was boozing it up here with Pedro
A dancer in bootees was secretly pushing dope
- a local psycho - juggling lights - and gaping
like a clown in a circus

usually taking a few dance steps meaning this cock didn't know Vanya
Pedro the cactus dried up - exhausted - didn't stay here
These January snows a salute to my pals
for the booze and syringe

I discovered them at the station like the fragrance of bread from a store
Vanya Pedro and Kolya were drinking at a beach table
and noticing my curious stare as greasy as tallow
one of them called to me

Coney Island was lit up - subways screeched - rats squealed
Pedro got drunk and cried - a dog on the beach went wild
Vanya gazed into the clouds watching them like a herd of cows
Kolya startled wetted himself

for his bladder was cold from sleeping on the sandy beach in winter
Pedro - in a sleeping bag Vanya - in a wheelchair
and each morning they watched the children walking to Private School -
while taking a refresher of whiskey

no not the children of course - but these loitering buddies from the station
Kolya is dreaming of body piercing Pedro measures corners with his eyes
Vanya as usual rolled himself a cigarette
from someone else's paper

and the clouds like a herd of brightly colored cows with candles on their horns
which for Pedro are - *mañana mujer* and *rojo*
and he's crying because someone has startled him
or startled the cows

Vanya I'll make happy too he will meet Zina at the station
he'll complain about the bad luck of being broke and his spleen
Zina too will babble to Vanya like a Singer machine
about fidelity and about whores

Vanya knows Kolya's bugaboo
the muscular Puerto-Ricans: fingers - with bracelets backs - with tattoos
and their girls with big buttocks vociferous like jays
and sirens too

I arrived at Coney Island: January stood by the beach
Zina I married off Vanya died - a complete debacle
Pedro's back in Brighton: carrying boxes or frying meat
thus a complete Dali or Bosch

The wheel spins the world - the snow - the life of heroes
streets have intermingled - trains - division into Jews/goyim
and I search for actors to gratify myself with the performance
of the plays composed by me

because in this wintry place the attractions are enwrapped
during the week everywhere white curtains and covers
and for my pals through the snows - through time belts and zones -
howls the abandoned dog

Зимові листи/Staten Island

Статен Айленд – це острів це значить - каліка на милицях
Пором допливе – GPS не помилиться
І вздовж океану бейсбольні поля й Каподано
бульвар – де самотньо і вітряно – грудень і січень
Цей острів що сам собі простір позичив
з крамницями і рестораном

дійде аж по котики в зимну Атлантику – Значить
він ключ що заводить «Тойоту» - Він бачить
і міст Verrazano і обриси бруклинських вилиць
і кульчик у вусі – ну по приколу цей пірсинг -
і ще кораблі - що пливуть до Нью-Джерзі
обмерзлі в снігах - що прийшли і звалились -

засипавши пагорби й вулички – музейного Будду
припарковану Alfa Romeo – номер якої забуду
поле для гольфу - старих італійців з футболом
з піцою й фільмами про незнищенність мафії
п'ють в тратторіях каву - їдять шоколадний muffin
їх сицілійський захист продірявлено голом

насправді на Статен Айленді тиша зсувається снігом
забивається мишею в темінь – сірим білчиним бігом
пахне китайським супом та італійським тістом
скупченням чорних ліктів і баскетбольних майок
джазом погоні за автом яке в опівніч зникає
від поліцейських «Chevy» - в хроніці завтра помістять

мені ця зима в снігопадах диктує листи і вірші
прогулянки вздовж океану якими нічого не вирішиш
тому що писання книги це споглядання руху
це підглядання шпарку дверного замка - й собача
пристрасть обнюхати простір - і біля пірсу побачити
пару котра цілується тримаючись міцно за руки

тому що життя за сорок каже дивитись простіше:
і не питатись для чого порівну снігу і тиші
і ще також не питатись – що означають знаки
й чому в цих снігах твій сумнів - неначе сліпці на осліп -
суне тобі на зустріч - і пахне пташиний послід
бо все це – братан - ти мусів й до того знати

тому то цей острів пригрівши припарковану Alfa Romeo
на яку повсідалися птахи переважно надуті меви
ділиться снігом і словом - як сиґаретами – кент
і каже тобі не питати про принцип життя і пропорцій
і птахам зимовим що гріються в теплій протоці
ти кидаєш хліб з розгону - і вслід випадковий цент

WINTER LETTERS/ Staten Island

4

Staten Island - is an island meaning - a cripple on crutches
a ferry will get you there - the GPS won't miss it
and along the ocean baseball fields and Capodano
boulevard - desolate and windy - in December and January
This island which has borrowed the space it needs
with shops and restaurants

will immerse up to its ankles into the frigid Atlantic - Meaning
it is the key that starts a "Toyota" - It views
both the Verrazano bridge and the outlines of Brooklyn's jaw bones
and sees an earring - this ear piercing as a challenge
and then the ships - which sail to New Jersey
iced up from the snows - that came down heavily

burying hillocks and streets - and the Buddha at the museum
a parked "Alfa Romeo" - whose number I'll forget
a golf course - and the old Italians enjoying soccer
pizza and films about an indestructible mafia
drinking coffee in trattorias - eating chocolate muffins
their Sicilian defense penetrated by a goal

In reality on Staten Island stillness is displaced by the sliding snow
it scurries like a mouse into darkness - darting like a gray squirrel
there's the smell of Chinese soup and Italian dough
the gathering of black elbows and basketball shirts
the jazzy chase of a car which at midnight eludes
police "Chevys" - and will make tomorrow's paper

to me this winter with its snowfalls dictates letters and verses
walks along the ocean that will resolve nothing
because writing a book is like observing motion
like peeping through a lock in the door - and the canine
passion to sniff all around your space - and by the pier to spy
on a couple kissing while firmly holding hands

because life after forty tells you to look at things more simply:
and not to ask why snow and stillness come in equal parts
and also not to ask about the meaning of signs
and why in these snows your doubts - feeling their way like blind people -
are pushing towards you - there's the stench of bird droppings
for all of this - bro - you must have known before

therefore this island having warmed up the parked "Alfa Romeo"
with birds sitting on it mainly puffed up seagulls
is sharing with you the snow and the word - like cigarettes - a friend
and tells you not to question life's principles and proportions
and to the winter birds warming themselves on the strait
you toss some bread on the run - followed by an occasional cent

Сиґіт Мармароський

У Сиґіті Мармароському пахли червиві яблука
і циганки чіплялися за рукави щоби поворожити
казали що знають про тебе усе
від них несло цуйкою пережованою зранку цибулею
і українськими цигарками
які вони проносять через прикордонний міст кілька
разів на день

Ранішні тумани закутували місто аж під шию
вони сходили з гір - як місцеві селяни - до Сиґіту на ринок
і залишались на вулицях
і притулялись головами до будинків
наче бездомні пси
цього міста

Я стояв на перехресті вулиць
дорожній знак вказував напрям на Бая-Маре
десь поблизу відреставрована синагога
православна церква і ратуша та кілька перевернутих вітром
сірникових коробок будинків свідчили про занепад
усіх европ та імперій
і лише залізниця побудована за Австрії
принаймні кудись вела шарпаючи вагонами
наче неслухняну дитину за руку
і потяг
в'їжджаючи в гори навіки у них зникав
забравши звідси з собою євреїв

бо їм не можна було тут жити
це значить молитися у синагозі
доїти кіз та продавати червоний перець
їздити до Бая-Маре та Угорщини
і співати щосуботи своїх сумних пісень

тут взагалі не можна було жити
серед дерев'яних церков з кириличними написами
зі святою Варварою картинами Страшного суду
євангелістами що тримають напоготові вказівний палець
як ключ
а нічний сторож мабуть
замикаючи церкву на ніч і вхід на цвинтар
лаявся що ключі та замки поржавіли

А у Сиґиті Мармароському пахли також розчавлені сливи
з коричневими очима кісточок як у мертвої корови по яких лазили
мухи і мурахи
і було зрозуміло що нічний потяг прибуває до двірця
бо машиніст задовго до зупинки сигналив
цим горам яблукам сливам і змученим циганам
які пили вино у придорожній корчмі
і брудними руками патрали всмажених пстругів
і кричали до власника
щоби той приніс білого хліба ще
але швидко

бо їм потрібно було встигнути доїхати до прикордонного переходу
коли їхні жінки з контрабандними сигаретами
повертатимуться домів

SIGHETU MARMATIEI

In Sighetu Marmatiei the odor of wormy apples
and gypsy women grabbing at your sleeves to read your fortune
claiming to know all about you
they reeked of homemade brandy laced with the onions chewed in the morning
and Ukrainian cigarettes
they smuggle across the border bridge several
times a day

morning mists would envelop the town up to its neck
descending from the mountains – like the local villagers –
to the market in Sighetu
and lingering on the streets
they snuggled up to the buildings with their heads
like the stray dogs
of this town

I stood at the street intersection
where the road sign pointed towards Baia-Mare
nearby a restored synagogue
an Orthodox church the city hall and a few matchbox houses
overturned by the wind attested to the downfall
of all the Europes and empires
and only the railroad built back in Austrian times
at least was heading somewhere tugging the cars
like a disobedient child by hand
and the train
entering the mountains would vanish in them forever
having taken away the Jews

for it was impossible for them to live here
meaning to pray in their synagogue
to milk their goats and sell red pepper
to travel to Baia-Mare and Hungary
and to sing their mournful songs each Sabbath

it was impossible to live here in general
among the wooden churches with Cyrillic inscriptions
with the pictures of St. Barbara and the Last Judgment
with the evangelists each holding at the ready his index finger
like a key
and the night watchman probably
while locking up the church and the cemetery gate for the night
would grumble that the keys and locks were rusty

And Sighetu Marmatiei also smelled of squashed plums
with their pits resembling the brown eyes of a dead cow
with flies and ants crawling all over them
and it was obvious that the night train was approaching the station
for long before the stop the engineer was signaling
to these mountains to apples to plums and to the tired gypsies
drinking wine at the roadside tavern
and gutting fried trout with their dirty hands
while shouting at the innkeeper
to serve more white bread
on the double

For they had to reach the border crossing by the time
their women were returning home
with bootlegged cigarettes

Прізвище

особливо дошкульними
у цьому питанні виявлялись
(і виявляються) інтерв'юери

    - А ви не родич?
    - А може все-таки родич? Скажіть сьогодні за це нічого не буде

Пригадується мені
стара бібліотекарка у педінституті на початку 80-х
коли я заповнював читацький формуляр
вжалена - перепитала:

    - Махно?!!! Дитино а як ти вступив сюди?

наче за мною стояли Петлюра Бандера та ще кілька
зовсім небажаних постатей для радянської історіографії
але куди їх подіти

А один редактор "товстого" на той час часопису
який видавало ЦК ЛКСМУ
порадив підібрати псевдонім бідкаючись
що він ніяк не зможе пояснити там...
(і закотив очі аж під стелю) що я не родич Нестора Махна

і таємниче додав
наче ми перебували із ним у антидержавній змові:

    - Вас не надрукує жоден журнал. Подумайте над цим молодий чоловіче

Що я повинен був йому пояснювати
що зовсім не знаю звідки у селі Дубно біля Лєжайська
(сучасна територія Польщі)
з'явилося прізвище Махно
і що півсела писалось:
або Махно або Гоголь
Пригадую у фільмі "Ходіння по муках"

що час від часу крутило Центральне телебачення з'являвся
Нестор Іванович якого грав Борис Чирков – патлатий
з якою анархічною розхристаністю співав "Любо, братцы, любо"
пив увесь час горілку розмовляв
революційним сленґом і щиро ненавидів комуністів.
Власне оцю ненависть Чирков зіграв особливо переконливо
як це проґавили цензори – не зрозуміло

Наступного дня у класі мої однокласники
жваво і голосно обговорювали фільм
неоднозначно киваючи у мій бік

І хоч я зовсім не був схожий на свого гуляйпільського однофамільця –
але його карикатурне зображення
мені особливо було неприємне

Мої батьки розлучилися коли мені було 5 років
З батьком я не спілкувався
А мама ніколи нічого мені не пояснювала стосовно прізвища
Наше вона змінила на прізвище вітчима
і з цим не мала жодних клопотів

Хотів я того чи не хотів але Нестор Іванович Махно
разом із своїм 70-ти тисячним військом
супроводжував мене повсюди:
не завжди перемагаючи
моїх однокласників-недругів
чи полохливих редакторів літературних часописів
чи – згодом - настирливих інтев'юерів

Власне десь у віці 10 чи 11 років
коли мене побила зграйка зірвиголів з сусіднього будинку
саме через прізвище
Я почав вигадувати історії:
що добре було б якби Нестор Іванович
приїхав на своїй тачанці з усім своїм військом
і налякав би тих кривдників
Я уявляв як вони б рюмсали

перед строгим поглядом батька Махна
а він посадивши мене біля себе на тачанці і
- на задрість їм - дозволив би потриматись
за холодні ручки кулемета
Але він ніколи не приїзджав

Часи змінилися:
в Україні шанують Нестора Махна —
одні кажуть що це добре інші – що це погано
створюють Товариства його імені,
відкривають музеї —
повидавли його *Спомини* і безліч белетристики

вивчають анархізм і його військову тактику та стратеґію

Мої дочки уже не будуть червоніти і ніяковіти
приїхавши до України і заповнюючи митні декларації
що їхнє прізвище у когось викликатиме відразу
чи єзуїтське питання: *А ви не...*

Їх так само оберігатиме Нестор Махно
із 70-тисячним військом
доброзичливо підмруґуючи

стоячи на майдані у Гуляй-Полі
1920 року

де коні іржуть мов єрихонські труби
і очерети шабель шурхотять

і яке то має значення чи ми родичі чи ні

а якщо хтось знову мене запитає : *А ви не...*
то я радо відішлю його до цього вірша
вказавши назву видання і сторінку
і можливо це буде його перша зустріч з поезією
і тут Нестор Іванович прислужиться ...

THE SURNAME

especially annoying
in this regard have been
(and still are) the interviewers

- Aren't you by any chance his relative?
- Perhaps you are his relative after all? Tell me you won't get into any
trouble for this today

I recall
when I was filling out a questionnaire
an old librarian at the pedagogical institute in the early 80's
asked me in shock:

- Makhno?!!! Child how did you manage to enroll here?

as if behind me there stood Petliura Bandera and a few more
utterly undesirable characters in the eyes of Soviet historiography
but how do you get rid of them

One editor of an "acclaimed" periodical at the time
published by the Central Committee of the Leninist
Young Communist League of Ukraine
advised me to pick a pseudonym while complaining
that there's no way he can explain to those above...
(rolling his eyes up to the ceiling) that I am not related to Nestor Makhno

adding secretively
as if the two of us were conspiring against the state:

- No magazine will publish you. Think about it young man

What I should have explained to him
is that I have no idea how in the village of Dubno near Lezajsk
(in present-day Poland)

there appeared the surname Makhno
and that half the village was named:
either Makhno or Gogol

I recall how in the film *"The Road to Calvary"*
shown from time to time by Central television there appeared
Nestor Ivanovych played by Boris Chirkov - disheveled
with what anarchic exuberance he sang *"Liubo, brattsy, liubo"* *
drank vodka all the time used
revolutionary slang and genuinely hated the communists.
Precisely this hatred Chirkov conveyed especially convincingly
how the censors had missed that - is incomprehensible

The next day in class my classmates
would discuss the film in a lively and loud manner
knowingly nodding in my direction

And although I don't look anything like my namesake from Huliai-Pole -
I found the caricatured depiction of him
most disagreeable

My parents had separated when I was 5
I maintained no contact with my father
and my mother never explained to me anything regarding my surname
Our name she changed to that of my stepfather
and had no problems with that

Whether I liked it or not Nestor Ivanovych Makhno
together with his army 70-thousand strong
would accompany me everywhere:
not always overcoming
my unfriendly classmates
or the timid editors of literary periodicals
or - later - the intrusive interviewers

Indeed when at the age of 10 or 11
I was beaten up by a gang of bullies from a neighboring building
precisely because of my name
I began to fantasize:
how great it would be if Nestor Ivanovych
were to arrive on his tachanka ** with all his troops
instilling fear in my persecutors
I imagined how they would whine
in the face of the stern stare of "father" Makhno
and how having seated me beside him on the tachanka -
to their envy - he would let me hold
the cold handles of his machine-gun
But he never came

Times have changed:
Nestor Makhno is now honored in Ukraine -
some say it's good others - that it's bad
they establish Societies named after him
open museums -
have published his Memoirs and countless works of fiction

they study anarchism and his military tactics and strategy

My daughters will no longer blush and feel embarrassed
upon arrival in Ukraine and filling out the customs declarations
that their name might evoke aversion
or the perfidious question: Aren't you ...

They too will be protected by Nestor Makhno
with his army of 70 thousand
winking kindly
while standing on the square in Huliai-Pole
in the year 1920

where the horses neigh like the trumpets of Jericho
where the sabers rustle like reeds

and what does it matter if we are related or not

and if someone asks me again: Aren't you by any chance ...
I shall gladly refer him to this poem
citing the name and page of the edition
and perhaps this will be his first encounter with poetry
thus Nestor Ivanovych will have served a useful purpose here as well ...

*A Don-Cossack song
** Machine-gun wagon

Dacia 1300

це було за Чаушеску і коли завалилися старі будинки
то Бухарестом їздили на коровах запряжених у вози
і лише птахи що кружляли над країною були вільними

це авто купив його батько на гроші які щомісяця
платила йому Сикуритате за доноси
тоді воно було нове і всі заздрили

тої ночі він їхав з дівчиною підсвічуючи місто
бо електроенергію продавали закордон
вимінюючи також за валюту право виїзду для євреїв

тоді кожен хотів бути євреєм щоби виїхати
і кожен хотів жити в Парижі бо кожен знав французьку
не гірше аніж Трістан Тцара чи Мірча Еліаде

вона сиділа поруч заплакана її вагітність його роздратувала
він попросив щоби вона припалила йому сиґарету
а тоді пригальмував вибіг з авта і копав щосили колеса

круглі як її живіт

DACIA 1300*

it was during Ceausescu's rule and when old buildings were collapsing
that people of Bucharest rode in wagons drawn by cows
and only the birds circling above the countryside were free

the car was bought by his father with money paid to him monthly
by the Securitate for being an informer
at that time it was new and envied by all

that night he drove with his girl providing some light to the city
because the electricity was being sold abroad
also the right of the Jews to emigrate was being exchanged for hard currency

then everyone wanted to be a Jew in order to flee
and everyone wanted to live in Paris since everyone knew French
no worse than Tristan Tzara or Mircea Eliade

she sat beside him in tears her pregnancy had made him irritated
he asked her to light his cigarette
and then he stopped ran out of the car and with all his might kicked the tires

as round as her belly

A Romanian car manufactured during the Cold War

Землетрус

Коли вони зайшли до корчми щоби перехилити червоного вина
було пів на сьому

за кілька годин до цього ангели як санітари збивались у ангельські команди
щоби відтранспортовувати душі загиблих

ангелів смерті цього разу було прикликано більше аніж ангелів-охоронців
коли вони пили вино то не знали ні про ангелів ні про те які з них прилетять й по кого

вина було вдосталь у корчмі - але чомусь Господь вирішив прочистити людський виноградник
сіпнув частиною Бухаресту так що навіть Тріумфальна арка перекособочилась

будинки розламувались як хліб - і виноградні кісточки людських тіл падали на бетон
земля хиталась під ногами як човни у шторм - а міські й церковні миші вивтікали
у поля - а за ними бігли оскаженілі собаки й перестрашені коти

один з них щось запримітив коли шклянка з вином яку він мав намір піднести до уст
чомусь легко посунулась убік по столі наче під чиїмсь гіпнотичним поглядом
він навіть не встиг про це сказати приятелеві бо з проламної стелі корчми

міцні крила ангела смерті стиснули його і він задихнувся у білому габардині їх пір'я
крісло того що ще жив вмить відлетіло до протилежної стіни - і він опритомнівши
від легкої контузії через кілька годин - побачить легкий промінь ліхтаря і почує псів

він спробує крикнути але його голос - засипаний порохами від зруйнованих стін
втратить силу - і хоч як намагатиметься ангел-охоронець домомогти у цю хвилину -
він лише прокашляється

кров з його обличчя облизував пес і слина його язика тепло пахла домашніми сливками - тоді
ангел-охоронець передав його санітарам у білих халатах і хильнув недопите ним вино - він
також втомився цієї ночі надто важким видалося це нічне чергування

ARTHQUAKE

'hen they stopped by the tavern for a few rounds of red wine
was half past six

few hours earlier angels assembled like emergency workers into teams
ady to transport away the souls of the departed

.is time more angels of death were summoned than guardian angels
hen they were drinking wine they knew nothing about the angels or which of them
ould come flying and for whom

.ere was ample wine in the tavern – but for some reason the Lord decided to clear the human
.neyard and jolted a portion of Bucharest so hard that even the Arch of Triumph was tilted

.uildings were breaking apart like bread – and the raisin stones of human bodies were plummeting to the
oncrete the earth shook under feet like boats in a storm – while the city mice and church mice were fleeing
.to the fields – followed by mad dogs and frightened cats

.ne of the drinkers noticed something when the glass of wine he intended to raise to his lips
.r some reason shifted slightly on the table as if under someone's hypnotic gaze
.e had no time even to tell his friend about it because out of the tavern's ruptured ceiling

.e powerful wings of an angel of death choked him and he ran out of breath in the white gabardine of
                                                                their feathers
.e chair of the man still alive suddenly flew into the opposite wall – and having regained consciousness from
.e light contusion after a few hours – he would see the faint beam from a flashlight and hear the dogs

.e will try to scream but his voice – buried in the dust from the ruined walls
.ill fade away – and no matter how hard his guardian angel will try to help him at this moment –
.e will just end up coughing

. dog was licking the blood off his face and the saliva from his tongue had the warm fragrance of
.omegrown plums – then the guardian angel transferred him to the paramedics in white frocks and gulped
.own the wine unfinished by the man – tonight he too was tired this night shift turned out to be overly
.ifficult

БЕРЛІН/Потяг «Київ - Берлін»

1.
Братан – життя це суцільна лажа - приступи еміґрації
внутрішньої - якщо зберегти для себе - Послухай: базар/вокзал
ти - притулившись до шиби вагона – вдивляєшся в станції
що для тебе влаштовують зі світла і звуків танці і
митникові ніколи ти всього не скажеш і не сказав

Усе починається з Малої Житомирської – від запахів стін
постійних ремонтів - зварювальних апаратів й цін на карбід
потяга - позначеного на квитку - за маршрутом «Київ –Берлін»
який ще формують в депо – білизну перуть й габардін -
й залізничники постукують по колесах як по гіпсові кариатид

Провідниці чистять кокарди - блоками скуповують цигáрки
щоб потім продати у Польщі - до Німеччини не довезуть
ховають валюту за пазухи - як засмальцовані карти циганки –
але ті хоч відгадують долю з долоні - із ліній вродженої чеканки -
а ці витирають поруччя на яке наліпився мазут

У тебе два дні – замовлена кава стигне на столику на Прорізній
тусовка й богема перейшли: з застілля - в глухе підпілля:
закотилися - як монети під стіл; колишні - з братви й тусні –
навіть на запах кави і коньяку не прийдуть – розлучення/сім'ї/пісні
все стало інакшим – а ти сидиш і чекаєш – і плутаєш цукор з сіллю

а далі кілька театрів читаючи твої п'єси – мабуть забули абетку
ти завжди мав недовіру до режисерського фаху і режисур
Демонстранти стоять на Майдані і несуть з прапорами естетику
Комуністи із гучномовців у прапаганду ллють патетику
сповіщають про себе мідними трубами єрихонських сурм

Братан – каже бомж до бомжихи – пропивши квартиру/числа й роди
і дістає «Гетьманську» на етикетці якої срібний Богдан-Зиновій
Бомжі сині-синющі – підтримуються як сліпці – припорошені світлом руди
Щасливі бо п'яні - лаються – да не судимий будеш – й сам не суди
І - надломивши хліба – половину кидають приблудному псові

Потяг «Київ-Берлін» число 29/30 Південно-Західної залізниці
з точним розкладом руху хилитає пивом горілкою і теплом
чорного чаю – На поля і узлісся влягались велетенські лисиці
Рацією перемовляються бригадир потягу і барокові провідниці
з митницею усе домовлено - але треба ділитись баблом

Завтра прокинешся у Берліні – не зважаючи на тижневий заріст
прикордонна служба Німеччини підтвердить що ти перетнув кордон
і що чомуть плентався по Румунії – заїжжаючи у Буха́ - рест
де перекладач твоїх віршів і досі у корчмі бухарить
не помітивши ані твої відсутності - ні відсутності постарілої Бриджит Бардо

яку він мав намір прилишити на ніч– про що домовилися нарешті
але після кількох пляшок «Мурфатлару» – вони загубили адресу її сестри.
Він ще пробуде з тиждень блукаючи по Бухаресті
і йому не залежить на часі, хіба що залежить на хисті
і як він пише в e-mailaх до мене – прочитай ці листи й зітри

BERLIN/THE TRAIN "KYIV-BERLIN"

1.

bro - life is one big pile of crap - the onslaughts of emigration
within - for your own sake - Listen: market place/train station
Pressing against the window pane of the railroad car - you stare at the stations
which stage for you dances made of lights and sounds and
to a customs official you will never tell all and never did

It all starts on Mala Zhytomyrska street - from the smells of the walls
the constant repairs - the welding gear and carbide prices
from the train - with the itinerary "Kyiv-Berlin" marked on the ticket
still being outfitted at the depot - they wash linen and gabardine -
and the railwaymen tap on the wheels which look like caryatids

The train attendants polish their badges - they buy up cigarettes by the carton
to sell them later in Poland - they won't last as far as Germany
hard currency they hide in their bosoms - the way gypsy women hide their smudged cards -
but those at least read the fortune from your palm - from the lines engraved since birth
while these - just wipe grime off the railing

You have two days left - the coffee you ordered is cooling on the table at Prorizna street
the crowds and the boheme have moved: from a place at the table to an obscure underground:
they have rolled down - like coins under a table; former brothers and throngs -
won't even show up for the aroma of coffee and cognac - separations/families/songs
all has changed - While you sit and wait - stirring sugar with salt

And farther on a few theaters performing your plays - perhaps forgot the alphabet
you've always mistrusted artistic directors and their profession
Demonstrators on the Maydan* - with their banners defend aesthetics
Communists with loudspeakers spout propaganda that sounds pathetic
announcing themselves with the copper trumpets of Jericho

Bro - says the bum to his bag lady - his apartment and grammar squandered in drink
and takes out a bottle of "Hetmanska"** with the silver image of Bohdan-Zynoviy*** on the label
The bums as blue as they come - prop each other up like blind people - draped in rusty-colored light
happy because they're drunk - swearing at each other - judge not lest ye be judged
breaking off a piece of bread - they throw half to a stray dog

The train "Kyiv-Berlin" number 29/30 of the South-Western Railway
right on schedule is swaying with beer liquor and the warmth
of black tea - Gigantic female foxes have settled on the fields and forest edges
The conductor and his baroque attendants confer by walkie-talkies:
it's all arranged with the customs office - but the take must be split

Tomorrow you'll wake up in Berlin - despite a week's growth of beard
the German border service will confirm that you have crossed the border
and that for some reason you had roamed throughout Romania - visiting Bucharest
where the translator of your poetry is still in a bar boozing it up
having noticed neither your absence - nor that of an aged Brigitte Bardot

with whom he had intended to spend the night - which they finally agreed upon
but after a few bottles of "Murfatlar" - they lost the address of her sister.
He will still remain there for about a week wandering all over Bucharest
for time is of no consequence to him, what is of consequence is his skill
and as he writes to me in his e-mails - read these letters and delete

*Maydan - the square in Kyiv famous as the center of the Orange Revolution in 2004
** "Hetmanska" - a brand of Ukrainian vodka
***Bohdan-Zynoviy are the first names of the Ukrainian Cossack leader Khmelnytsky (1595-1657),
founder of the Ukrainian Hetman state (1648-1782)

2.

Сюзен Кіґулі

В цьому місті кав'ярні порозсипувані – наче кавові зерна –
Запах сухої осені. І африканські вірші поетки з Уґанди
вони про жінок і свободу – отже ніякої пропаганди –
тільки рухлива мова, що сторожка наче серна,
Видумує Сюзен про воду - що риби летять в озера
в них плавники як арфи і крила-гіганти

Однак німецькі вулиці звикли до цих військових
парадів: велосипедних маршів – берлінського маратону
й моє відчуття безчасся – й безнастанності в тому
що окрім прочитаних віршів - є кілька речей додаткових:
ще ненаписані вірші – і усвідомлення мови
котра - як маяк - показує напрям води і дому.

В цьому місті усе не так – починаючи від бетону стіни
й двох вождів що взасос цілуються - як голубі.
Джазисти як мокрі кури – тут джаз помирає в трубі
у стравоході музики – сіпнувшись м'язом спини
ударом по барабану – Від чого вривається нить
усвідомлення теми музики Лохи – переважно - тупі

Поділ міста забувся - тепер всі святкують возз'єднання
Дембель радянської армії в парадці захищає Берлін -
горобців які пролітають над бетоном зруйнованих стін
уособлюючи собою бойових дух і військові з'єднання
й еміґрантів з Союзу – котрі як весільне придане –
не знати чи знадобиться – тому й заховали під стіл.

Знаєш, в Шарлоттенбурзі завше крутилась богема:
тепер стипендисти DAAD'у – й продавці російського хутра
в еротичнім музеї – стимулятори і Кама-Сутра –
в газетах – скандали і вічна тривожна тема
про ціни на нафту і золото – і про французькі креми
які рекламує в «Шпіґелі» чергова лахудра

російська присутність залишилась – музики та олігархи
табличка Цветаєвої In diesem Haus… die Russische Dichterin
Нас же цікавить праця «Сутність поезії та Гельдерлін»
котра говорить про мову – і кожен уже затрахав –
цитуючи її слово в слово – й зникають неначе шахи
бокали з вином червоним - а також зелений дрінк

із шахівниці часу. Сюзен вправляє з англійською
зелену рослинність савану й строфіку середньовіччя
Різдво під пальмами що святкують у грудні/січні
навернуті християни в спасіння Господнє військо
пострілюючи двадцять років тому то вже зовсім близько:
революцій небесне царство і з автоматами вічність

колоніальна залежність як докторати з Англії
або призвичаєння тіла до заштриків від малярії
африканською піснею й танцем славлять дитя Марії
молячись до чорних святих й до чорних ангелів
вдаючись до слів ворожби і до чорної магії
і йдучи за біблійними текстами вслід Месії

знаєш осінній Берлін не схожий на рибячі зябра
ні на риб що летять в озера які ти зловила у вершу
так як остання строфа не схожа ніяк на першу
так як свічка посаджена в діаметр канделябра
що означає - затиснута у металеві обійми – лярва
виламується як танцівниця полум'ям спершу

знаєш Берлін не схожий на Рим чи біблійну рибу
чи вічне це місто? чи ми тимчасові у ньому?
але той хто пише вірші - повертається завше додому
буття – він слухає наче джаз – збиту дощами ринву
вишукуючи з-поміж слів одне - порівняння і риму -
забуваючи розділові знаки – найчастіше крапку і кому

BERLIN/CHARLOTTENBURG

To Susan Kiguli

2.

In this city the coffee houses are scattered - like coffee beans -
The sweet smell of dry autumn. And the African verses of
      the poetess from Uganda
they're about women and freedom - hence no propaganda -
just lively language as agile as a deer
Susan's creations are about water - fish that fly into lakes
their fins like harps and their wings - gigantic

But German streets are accustomed to these military
parades: the bicycle processions - of the Berlin marathon
and my sense of timelessness - and of the continuity in that
aside from the verses already read - there exist some additional things:
the verses not yet written - and the awareness of the language
which - like a lighthouse - points in the direction of water and one's home

In this city nothing is as it should be - starting with the concrete walls
and the two leaders kissing passionately - like a couple of gays
The jazz players are like wet chickens - here the jazz dies in the pipe
in the music's esophagus - jerking with a back muscle
hitting a drum - which breaks the thread
of awareness of the musical theme. The fans are mostly dullards

The partition of the city is forgotten - now all celebrate the reunion
A demobilized Soviet soldier in his dress uniform protects Berlin -
and the sparrows that fly over the concrete of the ruined walls
embodying the fighting spirit and the military units
and the emigrants from the Soviet Union - who like wedding gifts -
may or may not be useful - and are therefore hidden beneath the table

You know, in Charlottenburg there was always bohemian life:
now instead we have the DAAD* scholarship holders -
        and the Russian fur merchants
in the museum of eroticism - stimulators and Kama Sutra -
in the newspapers - scandals and the perennial scary subject
of the prices of oil and gold - and about the French creams
advertized in the "Spiegel" by one more hustler

The Russian presence has remained - musicians and oligarchs
the plaque for Tsvetayeva "In diesem Haus ... die Russische Dichterin"
But we're more interested in the work "Holderlin on the Essence of Poetry"
which talks about language - and everyone has already been screwed -
quoting it word for word - and the decanters with red wine -
as well as a green drink - are disappearing like chess pieces

from the chessboard of time. Susan handles in English
the green vegetation the savanna and the strophic art of the Middle Ages
Christmas under the palm trees celebrated in December/January
by the Christian converts to Lord's Resistance Army
who've been shooting for twenty years so that now we are very near:
to the heavenly kingdom of revolutions and an eternity with submachine guns

colonial dependence like the doctorates from England
or like getting the body used to malaria shots
with African song and dance they glorify Mary's child
praying to black saints and black angels
turning to words of sorcery and to black magic
and following the Messiah according to biblical texts

You know, Berlin in autumn is not like fish gills
nor like the fish that fly into lakes which you caught in your creel
just like the last stanza in no way resembles the first
just like a candle inserted into the cavity of a candelabrum
meaning - squeezed in a metal embrace - a whore
is first to break out with the flame as a dancer

41

You know, Berlin is not like Rome nor like the biblical fish
is this city eternal? are we temporary in it?
but he who writes poetry - always returns to the home
of existence - he listens as if to jazz - to a gutter battered by rains
seeking out among the words only one thing - simile and rhyme -
forgetting the punctuation marks - most often the period and the comma

DAAD* - Deutscher Akademischer Austausch Dienst (German Academic Exchange Service)

БЕРЛІН/Berliner Marathon

3.
усім їм хочеться добігти до Брандербурзької брами
- сотні тисяч атлетів під покровом ангелів бігу -
декого ангел підтримує — дехто ледве плете ногами
засмічуючи місто пластиком — зображеннями Обами
доганяють самі себе і Брандербурзьку квадриґу

або ж учорашній день чи тінь на котру не наступиш
Кайзер Вільгельм зі свитою якраз під'їзджає до церкви
яку зруйнували союзники - і якось зліпили докупи
хоча й виглядає вона - наче карієсом - знищені зуби
на які чатує дантист що виймає свої обценьки

і коли маратонці біжать повз пивбари де смажиться бурґер
а сіоністи на площі протестують супроти воєн
і палестинці навпроти — й увесь цей берлінський бурдель
поливають вальсом Манжурії - заробляючи цим на бутель -
два солдати Союзу — що горланять й заводять сумної

У Мезон де ля Франс - дегустація сиру, а потім - читання прози
на виставці Далі — голяк; більшість валить в еротичний музей
Маратонці прошмигають культуру котра під попсу косить
дехто здихає збоку - декого просто заносить
дехто ще тягне час щоб не випалити ауфідерзейн

насправді ці маратонці схожі на зниклий десант
що виконав спецзавдання — біжать щоб зненацька напасти —
спочатку їх тисячі - потім сотні - і лише п'ятдесят -
оббігають Брандербузьку браму - Їх наче сліпих песят —
за шкірку кидають — хто виживе того й щастя

і коли з них залишиться троє і комусь випаде масть
а ще кілька десятків прибіжать годину пізніше — може
Кайзер якраз помолиться і кілька наказів віддасть
і його парадний мундир забомбардує голуб — і шасть
у берлінське небо — й залишить у дурнях кайзерову сторожу

на цих змагунів що кружляють довкола Берліна
підкрутивши вуса - споглядає - сидячи на дивані жіночих губ —
Сальвадор - тримаючись за палицю - як за жіночі коліна
вуса його - як роги бика – Зливаються в дисгармонії гітара і мандоліна
бульдог й носоріг – і альтом на ратуші розпоре тишу когут

Кайзер стоїть на фініші із бурґомістром лічать останні секунди
чекають на переможця - якого під пахи ангели бігу - ведуть
просто його волочать - наче злочинця – що крилами їхніми скутий
атлет після фінішу падає мертво наче випив цикути
а Кайзер з бурґомістом – переминаючись – ждуть

Французи якраз дочитали прозу – і почали їсти сири
Сальвадор повернувся на виставку і - як вкопаний - став у вікні
Кайзер на фресці у церкві сам приймає дари
крила ангелів - мокрі футболки на маратонцях - і при -
чеплену тінь – бандербурзької брами – німб

3.

all the runners strive to reach the Brandenburg Gate
- hundreds of thousands of athletes under the aegis of the angels of running -
some do get support from an angel - others are barely dragging their feet
littering the city with plastic - and the likenesses of Obama
they catch up to themselves and to the Brandenburg chariot

or to yesterday or the shadow you cannot tread on
Kaiser Wilhelm with his entourage is now driving up to the church
which the allies had destroyed - and somehow patched back together
although it looks - like teeth decayed - by caries
for which a dentist lies in wait with his forceps

and when the marathoners run past the pubs with fried burgers
while the Zionists on the square protest against wars
across from the Palestinians - this whole Berlin madhouse
is glazed over with the Manchurian waltz - by two ex-Soviet soldiers -
who bellow and wail - earning enough for a bottle

In the Maison de la France - cheese tasting followed by prose reading
at the Dali exhibit - a male nude; most people pour into the museum of erotica
the marathoners speed past the culture that is morphing into pop culture
some are panting on the sidelines - others simply staggering
some are still marking time so as not to utter "auf Wiedersehen"

in reality these marathoners resemble a disbanded assault troop
which had fulfilled its special assignment - they run in order to attack unexpectedly -
initially they're in the thousands - then in hundreds - then only fifty -
circle the Brandenburg Gate - they are discarded like blind puppies -
only the lucky ones survive

and when only three remain and one of them gets the prize
as scores of others will arrive an hour later - perhaps
the kaiser will get a chance to pray and issue a few orders
while a pigeon will deliver bombs on his dress uniform - swooshing back into the Berlin sky -
making fools out of kaiser's guards

observing these competitors who cruise about Berlin
twirling his moustache while on a sofa in the shape of a woman's lips
is Salvador - grasping his cane - like a woman's knees
his whiskers - resemble the horns of a bull - Merging in disharmony are guitar and mandolin
bulldog and rhinoceros - and on the city hall a rooster will shatter the stillness with his alto

the kaiser stands at the finish line with the mayor counting the last seconds
awaiting the winner - who is led under his arms by the angels of running -
they simply drag him - like a criminal - chained by their wings
after the finish the athlete collapses to the ground as if from drinking hemlock
while the kaiser and the mayor - are pacing - and waiting

The French have just finished their prose reading - back to the cheeses
Salvador has returned to the exhibit and stands as if dumbstruck - in the window
The kaiser on the fresco in the church is himself receiving as gifts
the wings of the angels - the drenched T-shirts of the marathoners - and
the attached shadow of the Brandenburg Gate - its aureole

4.

справді – історія міста майже до всього дотична:
до віршів в яких уже маса критична
дійшла до абсурду - біля кас залізничних
відсутність попиту й пасажирів

до заможного турка що роками берлінить
відстамбулив своє – тепер в першім коліні
смажить темні каштани і м'ясо на зміну
обтираючи руки від жиру

все подібно: таксисти у черзі дрімають
за будинком рекламу подерту знімають
асфальтують бруківку – авта гасають
і згасають вогні запальничок і вікон

запах кави і пива й сиґаретного диму
запах дому чомусь від капусти - і диво
від жіночих парфум - солодкавих властиво
що солодшають з віком

парасольки при барах - поліцейські в мундирах
нерухомість берлінська зросла на квартирах
і богема змирилась - прощається мирно
посуваючись знову на схід

їх впускають у простір розвалені стіни
тішить їх що відносність ще стримує ціни
що підошва міцна хоч старі мокасіни
і повсюди - берлінський ведмідь

співаки підробляють - еміґранти з Союзу -
і баян обіймають як подружку й музу
і кричать *гей братан це для тебе цю музи –
ку я хриплю* на німецький манір

і кричати в цю осінь нуль восьмого року
шо побєда за намі – не віриш пророку
попиваючи каву espresso і mocha
у безчассі шукаючи нір

цей братан що замовк як і ти фестивалить
він стіну - як і музику - мабуть завалить
потім сяде на ровер й тобі посигналить
розміняв п'ятдесятку не євро – а роки

твій ровесник і дембель з одного призову
музикант без оркестри – загублене слово
як берлінський ведмідь чи тірольська корова
а ти дивишся вслід наче справді пророку

4.

indeed - this city's history touches almost everything
the verses in which the critical mass
has reached absurdity - at the railroad ticket office
no demand and no passengers

the wealthy Turk for years a Berliner
having abandoned Istanbul - now in the first generation
he alternately roasts dark chestnuts and meat
wiping clean the fat from his hands

it's all familiar: taxi drivers doze off waiting in line
a torn ad is ripped from behind a building
they're paving the road - cars dash about
and the lights are extinguished on lighters and windows

the smell of coffee and beer and cigarette smoke
the home that for some reason smells of cabbage - and surprise
of women's perfumes - sweetish actually
growing sweeter with age

parasols at the bars - policemen in uniforms
Berlin real estate has raised the rent on apartments
and the boheme has reconciled itself to - peacefully bidding farewell
moving east again

torn down walls admit them into the area
they're glad the prices are still relatively moderate
that the sole is strong though the moccasins are old
and the Berlin bear is everywhere

singers pick up some money - emigrants from the USSR -
they embrace the accordion like a girl friend and a muse
and shout *hey bro it's for you that I snarl this music*
in a German manner

and to shout in this fall of 2008
that victory is ours - you don't believe the prophet
while sipping espresso and mocha coffee
searching for dens to hide in the timelessness

this *bro* who fell silent is enjoying like you the festival
he will probably tear down the wall - like the music
then get on his bike and wave to you
having hit fifty not euros - but years

he's your age a demobilized Soviet soldier from the same draft
a musician without an orchestra - a lost word
like the Berlin bear or a Tyrolean cow
while you're eyeing him as though he were a true prophet

5.
батьківщина тебе зустрічає уніформою митника
солодким слоґаном задоволеного політика
ґрафіті у якому місцева софістика
димом вітчизни з цигарки запханої в рукав

запахом самогону – студентами у вагоні
кількома горобцями що не дають доїсти вороні
запліснявілий сир – по радіо знову гонять
туфту – смертю Римарука

позаду занепала Європа - Берлін й Бухарест
а тут пастух із козами самотній як перст
проводжає потяг - зіпершись об придорожній хрест –
«Тойоти» і «Мерседеси» на переїздах стоять

світлом різким - як хірурги - здійснюють Кесарів розтин
залізничник із прапорцем – чіхається мов від корости –
вчора ледь перебрав – Повернення це так просто
наче змінити стать

після зустрічі із батьківщиною «Львівське 1715»
об'єднує всіх закоханих - консолідує націю
запах пива заповнює вагон і найближчу станцію
наче мобільні дзвінки і присохла сеча

у вагон-ресторан суне гурт неформалів
на зап'ястях тату – сині ружі і мальви -
і спілкуються часто - посередництвом мами -
згадуючи фестиваль і хто скільки раз кінчав

батьківщина в якій всіх цікавлять пристойні бабки
і вживається знак оклику але не ставлять крапки
гетьмани на етикетках і з ковбасою канапки
в підземці - віолончель

поруч Коля горланить своїм баритоном
сутенер б'є по морді повію -(злодій в законі) -
молоденькі менти під покровом Богородиці з ікони
чистять чернь

так - проходить осінь поверненням й жовтнем
не обмовшись проминанням - ані словом жодним
смиренним поглядом василіянина з Жовкви
що схививсь при Святім письмі

і мені відкривається книжка - тому що я книжник
знаю що з-поміж братів - блаженних та ближніх -
батьківщина котра існує лиш тиждень
а решта її перейде не в час - а в сніг

BERLIN/**OCTOBER 2008**

5.

Your native land welcomes you with the uniform of a customs official
with a sweetly-sounding slogan of a satisfied politician
the graffiti reflecting local sophistry
the smoke of fatherland from a cigarette - tucked into a sleeve -

the smell of homebrew - students inside a railroad car
the few sparrows who won't let a crow finish its snack
moldy cheese - the radio repeatedly spreading
lies - with the death of Rymaruk*

behind you is decadent Europe - Berlin and Bucharest
while here a goatherd as alone as the number one with his goats
accompanies the train - leaning on a roadside cross -
"Toyotas" and "Mercedes-Benzes " stopped at crossings

with piercing lights - like surgeons - they perform a Caesarean section
a railroader carrying a flag - scratching as if from mange -
yesterday he had a few too many - Homecoming is as simple
as a sex change

after meeting your native land the "Lviv 1715" beer
unites all lovers - consolidating the nation
the scent of beer fills the railroad car and the next station
like the ringing of cell phones and dried urine

a bunch of undesirables pushes into the dining car
on their wrists tattoos - blue roses and mallows
their conversations often peppered with the mother curse -
recalling a festival and who scored how many times

your native land is where everyone likes cute broads
and uses exclamation points but no periods
hetmans** on the labels and sandwiches with sausage
in the subway - a violoncello

close by Kolya bellows in his baritone
a pimp punches a whore in the mouth - (he's a "thief-in-law")
rookie cops under the protection of the icon of the Mother of God
 rip off the common people

this is the way autumn and October pass with your homecoming
without detracting by omission - or by any word
with the humble demeanor of a Basilian monk from Zhovkva***
hunched over the Holy Scripture

I too discover the book of knowledge - because I am a scribe
I know that amidst the brothers - the blessed and the fellow-men -
my native land will exist for only a week
while the rest will pass not into time - but into snow

*Ihor Rymaruk - a prominent Ukrainian poet, died in 2008
**Hetman - a Cossack commander-in-chief
Several brands of Ukrainian vodka are named after hetmans
***Zhovkva is a town in Western Ukraine, where a famous monastery of
the order of St. Basil is located

Бомбей

на нью-джерсійській заправці індуси в уніформі компанії "Shell"
пропахлі бензином – В навушниках Раві Шанкар витискує писк зі струни –
що схожий - на пописк храмових пацюків котрі відганяють мишей
і викрики збуджених мавп - Тлустий самець - місцевий раджа і шейх –
повільно злазить з каміння храмової стіни

і ним обривається музика – Сигналять авта – серпень - усі кудись поспішають
з одного навушника музика виливається мов з рурки синій бензин
ще трохи й вона дограє - а може взагалі дограється - одначе втішаю
цю нью-джерзійську Індію – сипнувши їй чайові - Він плеєр собі поправляє
і стриманим поглядом в очі твої - зирк

Він розмовляє на гінді – англійською – але не санскритом
Старша дочка у Лондоні - В Бомбеї - дружина - крамниця "Одяг/Текстиль"
тому він із патрубком – як самець-рекордсмен - готовий всі авта покрити але заважає
улюблений плеєр – власник щораз обіцяє звільнити
але в обмін на Кама-Сутру – змилосердився й простив

бо у власника автозаправки сексуальні проблеми – це старість
він ковтає піґулки – відвідує секс-шопи – консультується у індусів
бабло його уже не цікавить - але інше цілком дістало
він мріє відвідати Індію – в якій більшість жінок завиваються в сарі
наче в кокони шовкопряда вертка волохата гусінь

залишають нагим значний фасад живота – наче облущений тиньк –
і власник автозаправки готовий платити за кожну суку
ця індійська музика – маріхуана - її наркотичний дим -
яким він затягувався 68 року - втікши до Вудстоку - а одна з фестивальних дів
і любителька рок-н ролу - прочитала йому короткий курс Кама-Сутри

А потім він докінчував коледж (примха батьків) - а вона зникла в Бомбеї
обкурившись – знайшли мертву на березі річки – коротше: все попелом й прахом
"Бітли" не затримались в Індії – їх фани заради ідеї
й протесту – стали музикою – пописком мавп і мишей - який підсилює плеєр
індуса на бензозаправці – Шіва Вішну і Брахма

Він ніколи не поїхав в Бомбей – бо усе змили дощі і річкові води
навіть посольство в Індії не з'ясовувало що то було: насильство чи злочин
Колонією птахів повлягались на храмові сходи
сонно спостерігаючи за мавпами – вдихаючи їх сечу - як запах свободи -
жертви Заходу й Сходу яких як банани толочать

на землі що викупана в глині де життя як зогнилий овоч
цінується – Все природньо зацвів – перегнив – й посунься
хто прийме на нічліг – постіль: пальмове віття – небо тобі за покрову
спілкуйся з книжками та мавпами і обминай корову
покурюючи маріхуану - із по́дружкою яка поруч – поки ще живий - цілуйся

BOMBAY

at a New Jersey gas station Hindus in Shell company uniforms
reek of gasoline - Through the earphones Ravi Shankar is coaxing from his sitar shrill sounds
that resemble - the squeals of temple rats which chase away the mice
and the cackles of awakened monkeys - A portly male - the local raja and sheik -
slowly descends down the stones of the temple wall

and he interrupts the music - Cars honking - August - everyone's rushing off somewhere
from one earphone the music pours out like the blue gasoline from a hose
just a bit longer and it will stop - perhaps he'll reach his end altogether - but I give joy to this
New Jersey India - with my tip - He adjusts his player
and glances into my eyes - with a restrained look

He speaks Hindu - English - but not Sanskrit
Elder daughter in London - In Bombay - his wife - a "Clothing/Textile" shop
that's why he is ready to take care of all the cars with his hose - like a he-man record holder
but his favorite player is in the way - the owner repeatedly threatens to fire him
but in exchange for Kamasutra - took pity and forgave him

because the owner of the gas station has his sexual issues - old age
he pops pills - visits sex shops - consults other Hindus
money doesn't interest him any more - but other things absorb him totally
he dreams of visiting India - where most women are wrapped in saris
the way a wiggly hairy caterpillar wraps itself into a silkworm cocoon

leaving naked a substantial facade of the belly - like peeling plaster -
and the station owner is prepared to pay for every bitch
this Indian music - marijuana - its intoxicating smoke -
he inhaled back in 68 - having escaped to Woodstock - where one of the festival females
and rock-and-roll fan gave him a short course on Kamasutra

And then he finished college (his parents' whim) - while she vanished in Bombay
a pothead - they discovered her dead on the river bank - briefly: ashes and dust
the Beatles did not remain in India - their fans for the sake of ideology
and protest - became the music - the squeals of monkeys and mice - now amplified by the player
of the Hindu at the gas station - Shiva Vishnu and Brahma

He never did go to Bombay - for everything was washed away by the rains and the river
even the embassy in India could not explain what happened: was it rape or another crime
resembling a flock of birds settled on the temple steps
drowsily watching the monkeys - inhaling their urine - like a whiff of freedom -
are the victims of the West and the East trampled down like bananas

in a land bathed in clay where life has as much value
as a rotten fruit - It's all natural you bloomed - decayed - now slide over
who'll put you up for the night - your bed: the palm branches - your blanket the sky
deal with books and monkeys and avoid the cows
while smoking pot - kiss the girl friend beside you - as long as you're still alive

При-блудний син

якщо в євангельській притчі – що саме читають у сільській церковці –
батько вибігає назустріч синові та наказує слугам перевдягти його й заколоти для
нього ягня

то мені мусить світити бодай слабке світло в якійсь із кімнат на шостому поверсі

але темно – ніхто не чекає: або поснули – бо вже за північ – або поїхали кудись
і ключі не залишили у сусідів

може піти до найближчих приятелів: вони так радо приймали мене на нічліг
поки ще не були одружені й так вдячно слухали мої вірші
однак на митниці конфіскували мій записник (боротьба з тероризмом)
а напам'ять ані адрес ані телефонів не згадаю

якщо читають євангельську притчу про блудного сина в сільській церковці
то мусить хтось відчувати найпекучіші слова
і стояти на дворі з непокритою головою
на яку сиплеться сніг

PRODIGAL SON

when in that parable in the gospel - now being read in the little village church -
the father rushes to greet his son ordering servants to put on him the best robe and kill a calf for him

then for me there ought to shine at least a faint light in one of the rooms on the sixth floor

but it is dark - no one is waiting: they're either asleep - for it's after midnight - or have gone away
and didn't leave their keys with the neighbors

perhaps I should go to my closest friends: they used to be so glad to put me up for the night
before they were married and listened so gratefully to my poetry
but the customs office has confiscated my address book (war on terrorism)
and I don't remember their addresses or phone numbers

if they are reading the gospel parable of the prodigal son in that little village church
then someone must feel the most stinging words
and stand outside with his head uncovered
and snow falling on it

Хмарка

*Пам'яті Анни Онуфріївни Погрібної**

хвиля що винесла світло з пітьми
вже не потрібна
хмарку в нью-йоркському небі прийми
-Анну Погрібну-

як вона знає цей Бруклинський міст?
-тінню по рейках -
хмарка-селянка не місіс не міс
і не єврейка

так обережно приходять з села
-хмарка то й хмарка -
дощиком крапне - як потом з чола -
стих
від Луки і Марка

вже вона - ставши віршем й стихом -
стихла навіки
янгол її у бурштиновий схов
вклеїть —
й сховає за віко

я попрощатися не прилетів
відстані - справи...
склом у «Тойоті» моїй запітнів
дальний маяк
що справа

але ця хмарка що зараз висить
і заливає острів
Анною зве її в авті Василь
в «корку»
на Бруклинськім мості

все проминає і зблисне блакить
хмарка розтане
їду я в авті... куди воно мчить?
тільки потьоки
від Анни

*Анна Онуфріївна Погрібна (1923-2010), бабця

A LITTLE CLOUD

*In memory of Anna Onufriyivna Pohribna**

the wave that carried light out of the dark
is no longer needed
welcome the little cloud in the sky o'er New York
she's - Anna Pohribna -

how does she know this Brooklyn bridge?
to cast her shadow upon the tracks
this little cloud - a villager neither a Mrs. nor a Miss
and not a Jewish woman at that

that's the way villagers cautiously arrive
a little cloud – don't worry they remark
it will drizzle as rain - like sweat from the brow -
a verse from the gospels of Luke and Mark

by now - a stanza and a poem -
she fell silent forever
an angel will encase her in an amber tomb
and conceal her beneath a cover

I did not fly to say good-bye
distances - obligations ...
the distant lighthouse to my right
on my "Toyota" - a misty reflection

but this little cloud now hovering
and drenching the island
is named Anna by Vasyl in his car
on the Brooklyn bridge in a traffic tie-up

63

everything passes and the skies will turn blue
the cloud will fade away
I drive the car ... where is it rushing to?
and from Anna only the streams remain

*The poet's grandmother

Старий Новий рік

окрім трьох празників - в гості ніхто не прийшов -забудь
лиш один старий - Новий рік та ще січень - та кілька дощів
із дерев познімали ґірлянди – і прогнали овечок - залишили бруд
і той старий мені каже: understood
себто якщо перекласти – то мовляв знаємо – що й по чім

в новорічній листівці я писав що тут замість снігу - російські пенсіонерки
сваряться з внуками, ті в шапках і шубах на які пішли всі кролі
і ніхто не ласий на хутро а діти – й поготів – на цукерки
а поночі електричні звірята збіглися до лютеранської церкви
світяться і танцюють і туляться до колін

я також припускав (у листівці) що – мабуть - наступного року
полечу за лаврами не до Греції а у Берлін чи Париж
і відклав видавати вірші бо книжка есеїв збоку
вона про Чортків і дитинство із цим найбільша морока
а ночами у нас шкряботить за стіною - і дружина каже: поселилася миш

поки я ще видумував - вагався: писати верлібром чи в риму
поки колядки звучали з CD і шурхотіла різдвяна фольга
я стояв у вікні - бавлячись із звірятами – пересипав зиму
з пустого в порожнє – не маючи на це права – навіть одного потримав
за мордочку світла бо в дротах заплуталась – здається ліва його нога

поки вино допили а потім провалились (не в сніг) а в сон
поки з досвідом розібрались - вияснили стосунки – себе і сам
я стояв перед звірятами з кишенями напханими цукерками і вівсом
і почував себе прохачем – (просто приблудним псом)
який не має кому насипати жменю вівса

THE OLD NEW YEAR

except for the three feast days - no one came to visit* - forget it
only the old - New Year then January - and some rainfall
from the trees they removed the garlands - and chased away the little sheep - leaving behind rubbish
and that old one tells me: understood
translation - meaning we know - what's what

in my New Year's card I wrote that here instead of snow - Russian women retirees
quarrel with their grandchildren, those wearing caps and fur coats which have depleted all the rabbits
and no one is craving fur and the children - not even - candy
and at night the animal Christmas lights have assembled at the Lutheran church
flashing and dancing and cuddling at your knees

I had also supposed (in my card) that - probably - next year
I would fly for my laurels not to Greece but to Berlin or Paris
and delayed publishing my poetry because alongside lay my book of essays
it's about Chortkiv** and my childhood - which causes the most difficulty
and at night the scratching sounds behind our wall - my wife says: a mouse has settled here

so long as I was still planning-hesitating: whether to write in free verse or in rhyme
while carols were still sounding on CD's and the Christmas tinsel rustled
I stood by the window - playing with the animals - trifling away
the winter - having no right to do that - I even held one of the animals
by its illuminated little snout because entangled in the wires was - probably its left leg

until we finished the wine and fell (not into snow) but into sleep
until we examined our experience - clarified our relationships - oneself
I stood alone before the animals with my pockets full of candy and oats
and felt like a pleader - (simply like a stray dog)
who has no one to treat to a handful of oats***

*In a Ukrainian carol, people are visited by three feast days during the winter holiday season
**Chortkiv is the town in Ukraine where Vasyl Makhno was born
***In Ukrainian folk tradition, a well-wisher offers the host a handful of oats (or some other grain) to usher in a
prosperous New Year

чайки у цих широтах по дерев'яних пірсах
походжають - немов туристи – що спраглі хліба й видовищ:
пари з медового місяця, якісь старички та вдови -
вервиці мотоциклістів - що пронесуться лісом -
світлом своїх «Гарлеїв» й нікелем блиснуть гульвіси
стривожаться фермерські коні й чорні молочні корови

і ти зауважиш що швидкість спідометр вимірює в милях
і заклик який сповіщає побачити усіх атлантичних китів
мабуть це поет Антонич один із своїх гітів
виконує перед століттям – у хвилях шипучих як мило
це він цих китів напустить щоби про нього звістили
фонтаном глибокого видиху - який просвитів

далеко від Горлиць й Сяноку а чи сановитого Львова
де жодних китів не було - ані китобийних флотилій
і проповідник Йона що плив у киті безсилий
вздовж Городоцької мабуть - зухвалість його безголова
бо авта втікали вростіч й трамваї шептались впівслова
співали сталеві рейки - й дельфіни у бубни гатили

це тільки моє припущення - Бар Гарбор суцільне засвоєння
цих прибережних ліній що закінчуються на маяках -
яхтах - морських хворобах - канатах в тремтячих руках
пристанях для пришвартовки – внутрішнього заспокоєння
на цих дівчачих литках і колінах тату - що наколені
китайськими гієрогліфами з реклами на торбинках

повсюди ці ресторанчики в яких продають харчі
морська атрибутика й символи – лобстери – риба – креветки
збиті наспіх з дощок і реклама що живиться від розетки
для подорожніх клієнтів що їдуть вздовж океану вночі
що зачиняють авта - ховають в кишені ключі
і є ключовими в гравцями бар гарборівської поетики

у серпні ти слухаєш тишу котру обступили полки
соснових лісів – яку придавило камінням – яку облітає яструб
у небі нитки літаків із білого алебастру
зашивають зблідлу передосінню блакить - і поки
лосі переходять ріку а за ними слід в слід вовки
тиша переливається видолинком квітчастим

і десь поодаль океанічний прибій бовтає яхту з одним вітрилом
субмарини китів гріють спини і саксофонять свій джаз
зустрічні авта прошмигають - тиснучи до сказу на газ -
серпенем і прохолодою півштату накрило
дорога помалу на південь посувається вбік - і криво
петляє по пагорбах й виляє хвостом від нас

в Бар Гарборі мабуть у сутінках засвітилися ліхтарі
яхти пришвартувались – рибалки вернулись з уловом
вутлі човни переповнені рибою й словом
кити в океані хвостами збивають місяць - мов лампочку – угорі
що на ребристих хвилях світла свого пирій
висіяв до горизонту – й містечко чекатиме серпня знову

AUGUST 2009: MAINE

the seagulls in these latitudes stroll on wooden piers
- like tourists - hungry for bread and circuses:
honeymooners - all kinds of seniors and widows -
strings of motorcycles - speeding through the woods -
the ruffians will flash the lights and nickel of their "Harleys"
scaring the farmers' horses and black milch cows

and you'll notice that the speedometer measures the speed in miles
and the call inviting to view all the Atlantic whales
is probably from the poet Antonych* performing one of his hits
before the century mark - in waves foaming like soap
it is he who will admit all these whales so that they announce him
with their fountains spouting through the blowholes - whistling by

far away from Horlytsi** and Sianok** or from dignified Lviv
where there were no whales - nor whaling flotillas
and the prophet Jonah who swam inside a whale helpless
probably along the Horodotska street*** - with senseless recklessness
because the cars scattered in confusion and the streetcars whispered softly
the steel rails were singing - and the dolphins pounded the drums

this is only my supposition - Bar Harbor means a complete possession
of these coast lines that end in lighthouses -
yachts - sea sickness - ropes in trembling hands -
harbors for mooring - inner satisfaction
the tattoos on the girls' calves and knees - marked
with Chinese hieroglyphics from an ad on handbags

everywhere these little restaurants selling food
maritime themes and symbols - lobsters - fish - shrimp
hurriedly slapped together from boards and advertised by neon signs
for the traveling customers who drive along the ocean at night
they lock their cars - put the keys in their pockets
and are the key players in Bar Harbor poetics

in August you listen to the stillness surrounded by regiments
of pine forests - choked by rocks - circled by a hawk
in the sky threads of airplanes of white alabaster
sow up the pre-autumn pale azure - and as long as
elks cross the river followed closely by wolves
the stillness overflows a flowering valley

and somewhere in the distance the ocean surf is rocking a yacht with one sail
the submarines of whales warm their backs and saxophone their jazz
oncoming cars swish by - violently stepping on the gas -
August and a chill have covered half the state
the road south moves slowly to the side - and curving
loops around the hills and wags its tail away from us

in Bar Harbor the lanterns are lit probably at twilight
yachts have moored - the fishermen returned with their catch
aging boats are brimming with fish and words
whales in the ocean with their tails knock down the moon - like a lamp - above that
on the jagged waves of its light has sown couch grass all the way to the horizon - and
the town will await another August

*Bohdan Ihor Antonych (1909-1937), a Ukrainian poet, critic and writer, who was based in the
city of Lviv, Ukraine. In his poetry he sometimes resorted to maritime metaphors
**Horlytsi and Sianok are towns in the Lemko region of Poland, where Mr. Antonych was born.
That region used to have a large ethnic Ukrainian population
***Horodotska street is one of the main thoroughfares in Lviv

Проводи

Він читав пророків і коричневе серце
рейками лягло під джанкойський потяг
Восени йти до війська - і пісня про Ґерца*
обпікала горло - як горілка з перцем -
і він відкладав на потім:

з відповіддю на листа - бо зібралися вірші
як засушені мухи поміж рамами вікон
Він казав собі: візьми і виріжи
ножичком її ім'я - але не вирішив
нічого зі своїм призивним віком

ні з її віком нареченої й відданиці
ні з її словами що музикою тоді здавались
Медкомісія заглядала в геніталії і сідниці
і полковник сказав: годиться
а вона вийшла заміж - себто віддалась

Він бродив містом немов сомнабула
ловлячи кайф від життя й алкоголю
інколи думав: чи вона сумна була?
і що вона робить – шабадабуда
і уявляв собі її голою

уявляв собі її тіло і запах сексу
хоч складав секстини по шість в строфу
уявляв як вона вийшла із ЗАГСу
не зламавши «шпильки» - й весільну масу
повела на учту - себто лафу

Він слухав пісню про військо *army now***
хтось також ніс службу і про це співав
і життя було зламане - англійська - ламана
і подружка ламалась: її джинси як зна́мено
над нею й собою здіймав

а тоді запросив дружбанів на проводи
мама плакала а вітчим штовхав: вперед
і цілує дівчатко колючу бороду
і клянеться чекати бо ти її борозну
випадково по п'яні зорав — тире

тебе час наколов як сержант в караулці:
-відібравши масло і вручивши лопатку -
-перекривши кисень як воду в рурці -
-спутавши ноги базарній курці -
і призначив бути солдатом

*Пісня на вірш Осипа Мандельштама «Жил Александр Герцович»
** Пісня групи Status Quo - In The Army Now

THE SEND-OFF FOR A SOLDIER

He read the prophets and his heavy heart
lay down like rails under the train to Dzhankoy*
Joining the military in the fall - and the song about Gertz**
scorched his throat - like pepper-brandy
and he would postpone:

answering a letter - because verses had accumulated
like dried flies - between window frames
He would tell himself: take and carve out
with a penknife her name - but did not decide
anything about his draft age

nor about the age of his fiancee and bride-to-be
nor about her words which seemed like music at the time
The Medical Commission examined his genitals and rectum
and the colonel said: accepted
while she got married - meaning gave herself away

He roamed the city like a somnambulist
snatching pleasure from life and alcohol
sometimes he thought: was she sad?
and what is she doing - shalalala
and imagined her naked

he imagined her body and the smell of sex
although composing sestinas six lines per stanza
he imagined how she walked out of the marriage bureau
without breaking her stiletto heels - and the wedding crowd
she took to a banquet - meaning for a good time

He listened to the song about the military "In the Army Now"
someone else who also had served was singing about it
and his life was broken - his English - broken
and his girl friend resisted: her jeans like a banner
he would lift over her head and his

and then he invited his buddies to the send-off
mother was crying and stepfather pushing him: forward
and the girl kissed his prickly beard
and swore she'd wait because once
while drunk you plowed her - dash

the time has pricked you all over like a sergeant in a guard house
having taken away your butter*** and handing you a shovel
cutting off the oxygen like water in a tube
like tying up the legs of a chicken on the market
and assigned you to be a soldier

*Dzhankoy - a town in the Crimea where students from Ukraine were sent for compulsory summer work by the Soviet authorities
**A song by Osip Mandelshtam
***In the Soviet army, it was not uncommon for a sergeant to help himself to a recruit's property

Музика в місті

в місті в якому зливаються джаз і помиї
псота бездомна клумби й дерева підлиє
сука руда віджене голубів й театралів
втягне цицьки що звисають і витягне лапи
музика з чорного входу й застояний запах
я серед площі - і луни що бродять по залі

цього театру - приліг собі ситим бульдогом -
й суці-дворняжці віддав цілу площу - і Богом
прощений він і навіть забутий у вересні
просто бухий - забулдига від сну провінційності
в місті - крім джазу - існують устояні цінності:
свідки Єгови - місцева «Просвіта» - єресі

музика міста забилась в серцевому клапані
всі його вулиці нею помічені й краплені
може й украдені в тих що п'ють пиво із бочки
й в тих що гульбанять в крутих ресторанах до ранку
але товче вона в ринву і псячу бляшанку
і вигріває площу пір'ям і тілом квочки

суку руду прикормила бомжиха з баяном
наче легені розтягує міхи й горлає по п'яному
кашляє довго й наказує суці служити
я забуваю що музика ставши товаром
містові цьому не служить як вірний товариш
але бомжисі із сукою треба із чогось жити

я забуваю також що за хутро з ангори -
лисячий хвіст - чорне срібло й прибори
ми заплатили за музику цю — і за бабине літо—
«п'ятий» тролейбус в якого зірвалася штанга
жінка-водій - а на темній на зупинці ватага -
зустріч із ними нічим тобі добрим не світить

я забуваю що спів гуртожитського братства
суміш розлук - що приводить до блядства -
легкого флірту - як вермуту смак й ялівцю -
наших розмов і куріння - *нікому ніхто не винен* -
містом ця музика поширюється як новини
і я розливаю по келішках музику цю

я забуваю про вірші свої і присвяти
потяг козятинський – стрижка - казенні бушлати
і в караулці накреслений напис про дембель
який неминучий - і про Афган піщаний -
значить ніщо не вічне хіба що прощання
і хтось у листі згадає цивільне життя й про тебе

я забуваю що музика міста була на Фабричній
кодексом криміналу який по свому музичний
і пацани призвичаївшись жити за ним
зупиняли у темному місці - фраєра і фраєрку -
і - миттю їх обібравши - на косячок і ширку
блискали фіксами й ножичком викидним

я що стою серед площі хочу це місто обняти
хочу тобі цю музику з рук своїх передати
хочу кентів зустріти в «Музі» - місцевий лабух
тицьне тобі до кишені свою найновішу збірку
й каву замовить що пахне горілою сіркою
в останні роки він пише як курка лабою

я що стою на площі – чекаю на «Західний вітер»*
той що сюди ще прийде - як пам'ятник в бронзу завитий -
всіх чотирьох поставлять не за абеткою й зростом
а підприємлива молодь змінить «Козу»** на «Корову»
я хочу щоб ми були джазом для них й рок-н-ролом
разом із Бруклинським мостом

*«Західний вітер» - поетична група, створена на початку 90-тих років 20 століття у Тернопо
лі Василем Махном, Борисом Щавурським, Віталієм Гайдою та Гордієм Безкоровайним
**«Коза» - кав'ярня у Тернополі, котра у 2000-их роках стала популярним місцем поетичних
читань та мистецьких акцій

MUSIC IN THE CITY

in this city where jazz and swill are mingling
where packs of stray dogs sprinkle the flower-beds and trees
a red-coated bitch will chase away the pigeons and theater goers
pulling in her drooping nipples and stretching her paws
music flowing from a dark entrance and the stagnant stench
I'm in the middle of the square - and echoes linger in the hall

of this theater - lying down like a sated bulldog -
he gave up the whole square to this watchdog bitch - and he's
forgiven by God and even forgotten in September
simply a drunk - intoxicated with the somnolence of provinciality
in this city - aside from jazz - there exist some established values:
Jehovah's witnesses - the local "Prosvita" * - heresies

the music of this city is stuck in the heart valve
all the streets are marked and splashed by it
perhaps stolen from those who drink beer out of a barrel
and from those who booze it up in faddish bars till morning
but it taps on the gutter and on the dog's metal bowl
and warms the square with the feathers and the body of a hen

the red-coated bitch is fed by a bag lady with an accordion
she stretches out the bellows like lungs and howls in a drunken voice
coughs for a long time and orders the bitch to beg
I forget that music as a commodity
doesn't serve this city like a true friend
but the bag lady with her bitch has to survive somehow

I also forget that with an Angora fur -
and fox pelt - blackened silver utensils
we have paid for this music - and the Indian summer -
the "number five" trolley bus with a broken crossbar
a woman driver - and at an unlit stop a gang -
the encounter with which forebodes no good

I forget that the singing of the dormitory crowd
a mixture of separations - which lead to debauchery -
light flirting - like the taste of vermouth and juniper -
our conversations and smoking - nobody owes anybody anything -
this music spreads throughout the city like news
and I pour out the music into all the tumblers

I forget about my poems and dedications
the train to Koziatyn ** - the buzzcut - the army jackets
and in the guardhouse a scribbled sign about demobilization
which is inevitable - and about the sandy Afghanistan -
meaning there's nothing eternal except for farewells
and someone in his letter will mention civilian life and you

I forget that the music of this city on Fabrychna street
was a code of criminals musical in their own way
and the young thugs used to living by that code
would accost their mark - male and female - in a dark place -
and would clean them out in a split second - for a joint or a needle
flashing their gold teeth and switchblades

standing in the middle of the square I want to embrace this city
I want to pass to you this music from my hands
I want to meet the guys at the "Muza" - the local hack
will shove into my pocket his latest collection
and order coffee that smells like burnt sulfur
the last few years he's been scrawling like a chicken

standing in the middle of the square - I await the "Western wind" ***
which is yet to arrive here - as a monument cast in bronze -
all four of us will be lined up not according to the alphabet or height
while the enterprising youth will change the name "Koza" to "Korova" ****
I want us to be for them the jazz and the rock-and-roll
along with the Brooklyn bridge

*"Prosvita" - "Enlightment" - a Ukrainian community organization, started in the mid-19th century, dedicated to the promotion of education and culture among the general public

**Koziatyn - a town in Ukraine, known as a railway junction

***»Western wind" was a group of poets formed in the beginning of the 1990's in Ternopil (the city featured in this poem) by Vasyl Makhno, Borys Shchavurskyi, Vitaliy Hayda and Hordiy Bezkorovaynyi

****"Koza" - a coffee house in Ternopil, which in the 2000's became a popular place for poetry readings and other artistic events. In Ukrainian, the words "koza" and "korova" mean "goat" and "cow", respectively

Внутрішній дворик

вже назбиралося мух і джмелів
-і помідорів -
в пам'ять - за руку - мене перевів
внутрішній дворик:

там я стою по плече будяку
-наче Федьови -
можу знайти собі будь-яку
голку для крови

можу послинити пальця надріз
й чути Джуринку
там молоко від корови і кіз
цямрає в ринку

там повертаються грізні жуки
пси з будяками
сині корови летять - й від руки
падає тінь
на камінь

там де дві цятки вузлів від вужа
світло від цери
переспіває луна твоїх жаб
навіть хористів
з церкви

там по Джуринці ширяють ковблі
-срібні червоні гóлки -
їх плавники — паперові рублі
і зашкарубле око

а з-під листка ворухобиться миш
і ескадрильями мухи
смертію платять життя свого чинш
порухом рухом

THE COURTYARD

by now replete with tomatoes and flies
and bumblebees
the courtyard has led me - by the hand -
down the lane of my childhood memories

there I stand reaching the shoulders of a thistle plant
tall as the shoulders of Fedyo* -
and I can find me any kind
of a needle to make my blood flow

on my finger I can lick a cut
and listen to the Dzhurynka river
that's where the milk from a cow and the goats
is clanging in a metal receiver

that's where the dogs are covered in thistle
and women are late coming home
blue cows are flying - and your hand
casts a shadow
upon a stone

where two specks of a snake coiled like a spring
from its skin reflect the light
the sounds of your frogs will always outsing
even the church singers
on a choir night

the mudfish are darting about in the Dzhurynka waters
- like silvery red trails -
their fins - resemble paper rubles
their eyes covered with scales

a mouse is rustling beneath a leaf
and squadrons of flies
pay their life's rent with death's relief
every time they stir or fly

*Fedyo is the name of Vasyl Makhno's uncle

Футбол й корови

Корови з футбольного поля зайшли в конюшину.
Річка якраз у нападі підставляє коліно й ногу,
обкусаний оводами, воротар розтирає шию,
Пеле й Ґаринча - зіткнувшись – розпалюються: мужчини,
мотаючись із будяками, корова підіграє рогом.

Матч пастухів триває хоч час вже гнати худобу,
бо здулася від конюшини - в закислих очах печаль
але ніяк не вдається забити Ґаринчі худому
ну, і Пеле невдоволений рахунком, з яким додому
повернеться із коровами, це програш його зазвичай.

Вночі покличуть ветлікаря, він цвяхом проколе черево
і випустить сперте повітря зелене, як дощ й люцерна,
ну, а Пеле з Ґаринчею, зриваючи сливи з дерева,
лаятимуться по-дорослому : от де, коров'яче стерво,
в неділю прабабця Ґаринчі молитиметься у церкві

за всіх: за свої корови, за внуків й футбольне поле
за річку, в якої коліно травмоване, - й потрібен хірург
за молоко й сметану, що носить до сина Николи,
бо в нього корова ківна* і речинець на Покрову,
а наша корівця заслабла – біда - бо все з праці рук

За тиждень на пасовищі Пеле прошмигне оборону,
забуде прохання бабці і те, що пастух він до вересня,
пасне, підкрутивши, Ґаринчі, м'яч втрапить в плямисту корову
й, відбившись, впаде в Джуринку, сполохавши мишу-польовку,
котра з переляку спіткнеться об тінь свою безтілесну

Пеле із Ґаринчею вірять, що їхні корови у стайнях
будуть ревти за футболом впереміш зі снігом в січні,
І тільки прабабці розкажуть свої печалі і тайни.
А сніг завиває Джуринку у білі бинти – а в чайні
селяни сидять різдвяні, роздумуючи про вічність

*ківна (діял.)- тільна

SOCCER AND COWS

The cows from the soccer field have strayed into clover.
The river just then in attack is tripping with her knee and leg
stung by gadflies, the goalie is rubbing his neck all over
Pele and Garrincha* - colliding - get mad: men
bustle about with thistles, using her horn a cow joins the play

The cowherds' match continues though it's time to drive home the cows
bloated from the clover - agony in their bleary eyes
but the gaunt Garrincha is unable to get a goal
and Pele too is unhappy with the score
he'll bring home with the cows, his usual loss

At night they'll call a veterinarian, he'll pierce the belly with a nail
and release the compressed green air, like rain and lucerne,
well, Pele and Garrincha, picking plums off a tree,
will curse like grown-ups: "there's the stinking cow",
on Sunday Garrincha's grandmother will pray in church

for everybody: for her cows, her grandchildren and the soccer field
for the river, with its traumatized knee, - needing a surgeon
for the milk and cream she carries to her son Nykola,
because his cow is big with calf and due on the Feast of Pokrova**
while our precious cow is sick - trouble - it's our livelihood

in a week on the pasture Pele will zip through the defense,
forgetting grandma's pleas and that he's a cowherd till September
he'll pass the ball, curving, to Garrincha, the ball will hit a spotted cow
and bouncing off will fall into the Dzhurynka river, startling a field mouse
which out of fright will stumble over its phantom shadow

Pele and Garrincha believe that their cows in the stables
will low for the soccer at the time of the snows in January,
and will tell their sorrow and secrets only to grandma,
while the snow wraps Dzhurynka in white bandages - and the villagers
sit in the teahouse at Christmas time contemplating eternity

*Pele and Garrincha were famous Brazilian soccer stars
** Pokrova is the Church feast of St. Mary the Protectress

La Chica*

Вона Алехандра – вона з Меделіна,
я знаю цей дощ їй замочить коліна.
Вона мотоцикл свій притягне з парківки
затиснена в джинси - обцаси/підківки
блищить медальйон електричного світла -
-два тижні вагітна -

Любов як ламбаду з Міґелем крутила
ця музика танцю жахка як кропива
притиснувшись тілом до тіла Міґеля
вона лиш шепнути йому не встигла
що манґо цвіте між ногами - й достигло
тепло у постелі

Тобі – Алехандро - усе це проститься
коли твій дружок на тобі проспиться
і Господа будеш за нього просити
щоб визріла в лоні сперма бандита
і що в цих bandidos з глухих закамарків?
-запитує Маркес -

вона віддавалась Міґелю - й при тому
пірнала за ним – він тримав непритомну
розсунувши ноги із солодом манґо
вони із ламбади заходили в танго
спідницею Діву Марію прикрила
-вставала й курила -

хтось гримав дощем - і сполохано кури
вотузились зранку - сніданок прокуриш
в будинку куди забрели віді вчора
тримали ще пса й - на обійсті корова -
і ноги зі срібла кінцівками ножиць
ніяк не вміщались
в Прокрустове ложе

Міґель пістолет прикладе наче палець
я думаю скаже ми вже накохались
і чорні banditos суміжні квартали
залишать з Міґелем — три ночі не спали
вони стерегли цю любов і ламбаду
Міґеля застрілять а їх пересадять

життя у bandidos завжди під прицілом
і снайпер Міґеля знайде і поцілить
це буде зима хоч в Колумбії літо
тримай — Алехандро - дарунок бандита
що сам проростає - тому що вже нудить -
і Бог не осудить

і Бог не осудить

*La Chica (есп. —дівчина)

LA CHICA*

She's Alejandra - she's from Medellin,
I know her knees will get soaked by this rain.
She'll pull her motorbike from the parking space
- squeezed into tight jeans - her heels with metal taps
electric lights reflecting from her pendant -
- she's two weeks pregnant -

Love like the lambada she spun with Miguel
the music of this dance stings like the nettle
pressing her body against Miguel's
she had no time to whisper to him
that mango blooms between her legs - and that heat
had ripened in their bed

For all this - Alejandra - God will forgive you
when your partner will have finished on top of you
and you'll pray to the Lord for him
for the bandit's sperm to mature in your womb
- and what's the attraction of those bandidos from obscure locales?
- asks Gabriel Garcia Marquez -

she would surrender herself to Miguel - and soon
would plunge toward him - he held her in a swoon
parting her legs with the sweetness of mango
from the lambada they'd switch to tango
the Virgin Mary with her skirt she'd cloak
- eventually she'd get up and smoke -

rain thundered through - and the startled chickens
bustled about in the morning - you'll miss breakfast by smoking
in this house which we yesterday reached with some effort
they also kept a dog and - a cow in the barnyard
and our silvery legs like the extremities of scissors
no way could fit
in the bed of Prokrustes

Miguel will point a pistol like a finger
"I think" he'll say "we've had enough love"
and the black bandidos will leave the surrounding vicinity
with Miguel - hadn't slept for three nights
guarding his love and the lambada
Miguel will be shot and the others locked up

lives of bandidos are always in the cross-hairs
and a sniper will find Miguel and hit his target
this will be in winter though in Colombia it's the summer
hold on - Alejandra - to the bandit's gift
which keeps growing - that's why you feel nauseous already -
and God will not condemn you

and God will not condemn you

La Chica - Girl in Spanish

Кривий Ріг

Кривий Ріг – це пацан. Міліцейська антена.
Перша ходка на зону із площі Артема
шахтареві не можеш чогось обіцяти
бо життя як два пальці свої обісцяти
він прочищує жили його рудоносні
все відносно

сирота з дитбудинку без мами і тата
у товарнім вагоні що на Роковатій
а при пиві із бочки і хлібному квасі
вболівальником криє команду «Кривбасу»
йшла Ворівка уся на Веселі Терни
від тюрми до тюрми

пацани виростали: футбол з кримiналом
Саксагань з Інгульцем - руда із металом
мокре плаття на мамі – була би втопилась
і рукою за човен намертво схопилась
а ми з братом пищали баяном й басами
бо як же без мами?

пам'ятаю за містом: кар'єри й посадки
перестрашений погляд ховрахової самки
що пацан петеушний розпатрував лезом
був найстарший із нас і страждав інурезом
ну а потім шкірки вичиняв у підвалі
тримайся подалі

починалися джинси - як небо - з нічого
Деміс Русос патлатий ходив Кривим Рогом
він співав «Сувеніри» і був сам сувеніром
торгували цигани товаром сумівним
шахтарі пропивали рублі із зарплати
в гастроном не пропхатись

пахла осінь дворами в яких абрикоси
достигали і падали - лазили оси -
а у бутлях капуста - і баклажани –
виставлялись у вікнах потяті ножами
й шахтарям що вертались з вечірньої зміни
забезпечені вітаміни

Кривий Ріг – це пацан що ціляє з рогатки
потяг що постоїть п'ять хвилин в П'ятихатках
це наколки на пальцях у «хіміка» Саші
кишенькові злодії ростовські і наші
і руду на поверні розкопує ротор
распіратор для рота

KRYVYI RIH*

Kryvyi Rih - is a street urchin. A police antenna.
The first bust with a lock-up from the square named Artema
to a miner you can promise nothing
for his life is as cheap as a farthing
he is clearing its veins rich with ore
all the more

an orphan in a children's home - no mother no father
inside a freight-train car at the Rokovata station
tapping beer from a barrel and the bread-based kvass**
like a fan he yells at the soccer team "Kryvbas"
all of the Vorivka district went to the Veseli Tereny region
from one prison to another prison

the urchins were growing: soccer and crime
Saksahan with Inhulets*** - ore with metals
wet dress on our mother - she nearly drowned
but clutched the boat with her hand just in time
while my brother and I screeched with the accordion and basso
for how could we survive without our mother?

I recall outside the town: empty mine shafts and planted trees
the frightened look of a female gopher
hulked with a blade by a punk from tech school
he was the eldest among us and incontinent
well and later he would tan the hides in the cellar
best to stay away

jeans appeared - like heaven - from nowhere
Demis Rusos wandered through Kryvyi Rih long-haired
he sang the "Souvenirs" and was himself a souvenir
gypsies were trading their dubious wares
miners spent in drink the rubles from their pay
into a food store you couldn't push your way

autumn smelled of courtyards where apricots
were ripening and falling - wasps crawling -
and in large jars sliced cabbage - and eggplants -
were put out on the windows
so that miners back from the evening shift
would be assured of their vitamins

Kryvyi Rih - is the urchin aiming with a slingshot
at a train that pauses for five minutes at the Pyatykhatka stop
it's the tattoos on the fingers of Sasha the ex-con
it's the pickpockets from Rostov**** as well as our own
it's the ore on the surface dug up by an excavator
and for your mouth a respirator

*Kryvyi Rih - a city in central Ukraine which is a major center of the iron-ore region
**Kvass - a beverage made from bread and malt
***Saksahan and Inhulets are the local rivers
****Rostov - a city in Russia

*Dance me to the end of love**

Я забіг до пабу коли дощ розливався Стравінським
-аванґардом музики - зелениною пляшок з-під віскі
потім змінили тему - Коген хрипів про танці
голосно розважались збоку дебелі ірляндці
місцева красуня впилась – мабуть дружок послав
dance me to the end of love

Я сидів пригадавши листа і кілька слів про пам'ять
ця любов що забулась ставала твоїми губами
тілом і запахом жінки - як колись у південнім Джанкою -
коли я тримав твою руку що була просто рукою
плутаючись у волоссі - словах - налігши на два весла
dance me to the end of love

що мені скажеш – подружко – п'яна в димину красуне
нині ляжеш у постіль з тим хто поглибше засуне
так ти помстишся любові і хто б тобі що не казав
знаєш - ти класна чувіха - вип'єм хоч я зав'язав
пізно - у пабі зсувають тишу столи і крісла
dance me to the end of love

пізно мінятись - на нас підозріло кивають бармени
плаття прилипло до тіла - пляшку підсунеш до мене
скажеш про зниклі слова й газову запальничку
зв'яжеш волосся ґумкою - стиснувши у косичку –
знаєш красуне: я прощання з тобою відклав
dance me to the end of love

Я тут сиджу до ранку - в пабі танцюю з тобою
потяг мій повертається в соняшниках до Джанкою
в місто де плаття і туфлі що вийшли з моди і вжитку
білизна на линві в робітничому гуртожитку
і пахне милом - і морем лікоть твій і рукав
dance me to the end of love

Я хотів би міста - до слова - сплести в замок і зв'язати
в цій темноті цей танець мусимо дотанцювати
чуєш як в клітці грудній б'ються об ребра серця
танець кінця любові - життя - взагалі до кінця
забудь що я говорив - і що ти цілий вечір несла
dance me to the end of love

*Dance me to the end of love — пісня Леонарда Когена

DANCE ME TO THE END OF LOVE*

I darted into the pub when rain was pouring like Stravinsky
- the avant-garde of music - the green of the bottles of whiskey
later they changed the theme - Cohen was rasping about dances
stout Irishmen on one side reveled with their booming voices
a local belle got drunk - it seems her guy gave her the brush-off
dance me to the end of love

I sat recalling the letters and a few words of memories
this forgotten love would appear as your lips
as the body and fragrance of woman - the way once in the Crimean land
when I held your hand that was simply a hand
entangled in your hair - in words - thrusting like a hand into a glove
dance me to the end of love

what will you tell me - my companion - my dead drunk looker
today you'll go to bed with whoever shoves it in deeper
this way you'll take revenge on love and no matter what anyone said
you know - you're a classy broad - let's have a drink although I quit
it's late - in the pub the sounds and tables are pushed to the side the chairs stacked above
dance me to the end of love

too late to change - the barmen nod suspiciously our way
the dress clings to your body - you'll push the bottle my way
tell me about the vanished words and the gas lighter
tie your hair with a rubber band - pressed into a braid -
you know my doll: I've deferred our farewell for now
dance me to the end of love

staying here till morning - in the pub I dance with you
my train is returning to the sunflowers of Dzhankoy**
a town with dresses and shoes that went out of fashion and use
wash on the laundry line drying in a workers' commune
and of the soap and sea smell your elbow and sleeve
dance me to the end of love

these towns and words I would like to entwine and tie into clasped hands
in this darkness we must finish this dance
listen to our hearts beating against the rib cage
this dance of the end of love - of life - of the end of age
forget what I said and what all evening you prattled enough
dance me to the end of love

*A song by Leonard Cohen
**A town in the Crimea

Свічка

Я запалив свічку по Федьови, в річницю,
в церкві на Статен Айленді - світло її проллється
музикою і словами, а ми сидимо і курим:
вічна Джуринка - темні ковблі; й місцеві
звичаї - й оплакування по мерцеві -
і пилюга осіння яку піднімають кури

свічка не розгоралася - ламалися стебла
вогню - що ставали тобою але уже без тебе
баян: перламутр з рубіном - пухкі калачі до Паски
повні кишені махорки - долоні від тютюну -
шоферська куфайка яку із себе стягнув
закутавши псалмоспіви й голосові зв'язки

свічка ставши тобою плавиться і зникає
Джуринка також з ковблями навічно від нас втікає
і тенори затягнувши вірять що пам'ять вічна
значить вони відспівали душу легку як хмарка
значить вона ходила й бігала наче цезарка
ну а тепер прощання і поминальна свічка

що вона заспіває розсунувши міх баяна
з ангелами в обнімку - з обличчями корефанів?
може промерзлу пісню стартера і мотора
гайок закручених скрегіт - хрускіт кісток домкрата
я опирався на тебе немов на старшого брата
наче сліпець на костур чи електричну опору

я озиравсь за тобою серед задухи малини
коли ми зривали в пригоршні ягоди — і молили
наші кущі не дряпати - нас і чорних джмелів -
коли вереснева музика стихала в кущах і роті
і світляками малина світилася в позолоті
слоїками із чубком і слиною поміж слів

Я поминальну свічку поставив у церкві Трійці
всі ми - наш Пане - для Тебе стадо Твоє і вівці
порох земний і глина – тому й вигорає свіча
Федьом – що тепер лиш свічка - дух її - парафін
прийми його в райські пущі щоб там міг співати він
граючи на баяні, знявши пасок з плеча

прийми його спів за світло - за туркотіння горлиць
за шелестіння вітру - за крила якими прогорнеш
пітьму - навколо свічки засипле десант сніжин
і розчищатимуть ангели завали білі лопатами
і тріпотітиме вітер між крилами і лопатками
й руками - які Ти - наш Пане - Федьови навхрест зложив

CANDLE

I lit a candle for you Fedyo* on your anniversary
in a church on Staten Island - its light will stream out
as music and words, while you and I sit and smoke:
there's the eternal Dzhurynka river - the dark mudfish - and local
customs - the bewailing of the departed -
and the autumn cloud of dust kicked up by the chickens

the candle would not burn bright - breaking up were the stalks
of flame - becoming you but already without you
the accordion: mother of pearls with rubies - the fluffy rolls for Easter
pockets full of cheap tobacco - staining your palms -
a chauffeur's jacket which you removed
muffling the sounds of vocal chords and psalms

having become you the candle is melting and vanishing
Dzhurynka too with the mudfish is forever running away from us
and the tenors intoning believe that memory is eternal
meaning they sang away the soul as weightless as a little cloud
meaning it used to walk and run like a guinea fowl
and now farewells and a memorial candle

what will it sing stretching the bellows of the accordion
in the embrace of angels with the faces of friends?
perhaps a frozen song of the starter and engine
the screeches of tightening screw nuts - the crunching of crank bones
I used to lean on you like an older brother
like a blind man on a walking stick or a light pole

I search around for you when the scent of raspberries fills the air
when we picked berries by the handful - and prayed
for the bushes not to scratch us - or the black bumblebees -
when the September music grew silent in the bushes and in the mouth
and the raspberries lit up like gilded glowworms
in the jars with heaped measure and salivating words

A memorial candle I lit for you in the Trinity church
all of us - our Lord - are Your flock and Your sheep
earthly dust and clay - that's why the candle is burning out
as Fedyo - who now is just a candle - its spirit - paraffin
accept him into the realm of paradise so that he can sing there
playing his accordion, taking the strap off his shoulder

accept his singing as the light - as the cooing of turtle doves
as the rustling of the wind - as the wings with which you'll sweep away
the darkness - around the candle the descent of snowflakes will lay a cover
and angels will clear the white snowdrifts with shovels
and the wind will shiver between the wings and the shoulder bones
and the hands of Fedyo - which You - our Lord - have folded in the form of a cross

*Fedyo is the name of Vasyl Makhno's uncle, who was a
professional driver and musician

Sola mujer*

Вони – музиканти, футбольна команда
важкі браслети – персні– футболки з Че
Їхня музика бла бла бла балада
а в неї - зцілована з губ помада
і тату змійкою оповило плече

У них є гіти із нових композицій:
саксофон і тромбон, звуки - москіти
Вона відчуває тілом самиці
погляд - який зачепивсь об панчоху на литці
воронячим кігтем

Вона віднедавна при них засвітилась
замовила каву – а її захопила ніч
вона за цей дощ – як за ніж – схопилась
а гітарист – за музику що приснилась
струнами її ніг

за нею навчання в столиці – три курси
батьки що марксизмом колись дістали
темні справи світлі шляхи - ти в курсі -
білий кафель тепле джакузі:
Сімон Болівар Лєнін і Сталін

придурки пахнуть вином і кавою
пісня в якої нікчемні слова і мотив
вона розпускала хвіст королівською павою
але поміж любов'ю сексом забавою
про всяк випадок презерватив

вона підхопила мотив мов пір'їну
її підхопила справжня війна
розширені ніздрі - вдих кокаїну
за революцію на півдні країни
за запах коров'ячого лайна

за те що життя – це любов і відсотки
за те що ще сорок - а не п'ятдесят
ловлячи хвилі ультракороткі
новини шиплять про вбивства й накротики
і не заводиться Volkswagen-Passat

Sola mujer (есп. – самотня жінка)

SOLA MUJER*

They are - musicians, a soccer team
heavy bracelets - rings - Che Guevara t-shirts
their music a ballad - shalalala
while she has lipstick smooched off her lips
and a tattoo snaking on her shoulder

They play the hits of new compositions:
saxophone, trombone, their sounds - like mosquitos
she senses with the body of a female
the stare hooked upon the stocking on her calf
like a crow's claw

she joined them only recently
ordered coffee - and was caught unaware by nightfall
she seized upon the rain - like a knife -
and the guitarist - seized the music that appeared in his dream
with the strings of her legs

behind her are studies in the capital - three years
parents who once discovered Marxism
shadowy affairs shining paths - you're a student
white tile warm jacuzzi:
Simon Bolivar, Lenin and Stalin

the dumbbells smell of wine and coffee
a song with vile words and motif
she opened her tail like a royal peahen
but amidst love sex and play
a condom just in case

she picked up the motif like a feather
she was picked up by a real war
dilated nostrils - the whiff of cocaine
for the revolution in the south of the country
for the stench of cow manure

for the fact that life - it's love and percentages
for the fact that she's still forty - and not fifty
catching ultrashort waves
the news hisses about murders and narcotics
and her Volkswagen-Passat won't start

A woman alone

Бухло

були вірші - було й бухло
Бог цілував тебе у чоло
і тримав вибиваючи ніж із рук
і правицю заламував наче фізрук
причепивши калатало до ноги
щоб тебе не засніжило в ці сніги

ну і ти також причепив свій погон
на плече худе - на рукав шеврон
підібравши трьох поетичних псів
гастроном бухла закупив на всіх
і біблійний стих й недолугий вірш
кожен у руці затиснув як ніж

кожен знав що в нас є життя і смерть
що веде кудись наче зека мент
ще півпляшки є - а з закуски — сир
що поет ніхто лиш приблудний син
і що ти при нім цілу ніч була
а до ранку вам бракне ще бухла

кожен з них що був мріяв про Париж
там найкращий вірш скрутиш і спалиш
де тобі Карден шитиме піджак
і який-небудь Поль а чи Жан-Жак
питиме шампунь білий як шампань
зашугавши всіх справді як шаман

ти стояв при тім й цілу ніч курив
за тобою йшов цілий полк курвів
вся паризька масть цих чувіх з богем
що на присвист свій їх скликає Гем
і при тім що там спльовуючи блін
Генрі Міллер спить із Анаїс Нін

але це Париж - цей непевний крок
а кому світив Бруклин і Нью-Йорк?
океанських хвиль шелест із спідниць
і Бродвей який тільки но спізнивсь
і присів за стіл ну такий облом
щоби хтось тебе обізвав бухлом

навіть якщо тут твій приятель Джон
голуб що летить в небо як піжон
навіть якщо вірш впав ножем в рукав
і замки які ти не замикав
навіть якщо ти й подружка буха
золотий ланцюг світла і стиха

відведе тебе від пристойних місць
сечовий міхур пробуєш на міць
і нічний Нью-Йорк п'яний як сатир
не покаже де ти знайдеш сортир
але німфа виповзши із гульні
знає про бухло а тебе ще ні

BOOZE

there was poetry and there was booze
God used to kiss you on the forehead
and protect you knocking the knife out of a foe's hands
and twisted his right arm like a martial artist
attaching a rattle to your leg
so that you won't get buried in these snows

and you too would attach an epaulette
on your lean shoulder - stripes on your sleeve
picking up three poetry hounds
as a connoisseur would purchase ample booze for all
be it a biblical stanza or a mediocre verse
everyone squeezed it in his hand like a knife

everyone knew we face life and death
which leads us somewhere like a guard leads a convict
half a bottle still left - of the snacks only cheese remains
that a poet is nothing but a prodigal son
and the girl stayed with him all night
so by morning you'll run out of booze

everyone here dreamed of Paris
there the best poem you'll roll up and burn
that's where Pierre Cardin will tailor your jacket
and any kind of Paul or Jean-Jacques
will drink shampoo as white as champagne
bewitching all truly like a shaman

there you stood and smoked all night
following you was a whole regiment of whores
the whole Parisian elite of these bohemian broads
whom Hemingway summons with a whistle
and there spitting from time to time bleep
Henry Miller sleeps with Anais Nin

but this is Paris - this uncertain step
and for whom shone Brooklyn and New York?
the rustling of the ocean waves of skirts
and Broadway which just arrived late
and joined you at the table but what a debacle
for someone to call you a drunkard

even if your friend John is here
a dove who flies into the sky like a dandy
even when the poem fell like a knife into your sleeve
and here are the locks that you didn't lock
even if you my lady companion are drunk
a golden chain of light and poetry

will lead you away from decent places
you'll test the strength of your bladder
and New York at night as drunk as a satyr
won't show you where to find a toilet
but the nymph who crawled out of the drinking spree
knows all about booze but doesn't yet know you

Kandinsky

хто такий маляр Антон Кандинський?
музика – Равель або Стравінський
Мао ув обнімку з Мамаєм
Меламід про все це знає точно
і Комар вже носа не підточить
і за те з тобою нині п'єм

провокатор панк торгівець зброї
партизан мистецтва що настроїв
фарбу й колір наче іструмент
ну таких потрібно взять під варту
і тому цим вихідцям з поп-арту
нюхати бензин і пити мед

бродить хвиля чи ігристе кримське
любить кабачки Антон Кандинський
Совіньйон Мерло і Шардоне
а колись водярка йшла з бляшанок
пилося й гулялося на шару
світло у тунелі теж брудне

що з мистецтвом коїться Антоне?
за вікном нью-йорк у світлі тоне
і дніпро не стогне й не реве
і коли мистецтва зміст в банкнотах
добіжить Бродвеєм звук по нотах
й вирубиться скінчений Равель

наш чувак білявий Енді Воргол
став тут королем і навіть богом
Campbell's суп що їсть Мерлін Монро
знаєш був без комплексів і в тему:
і до нього й після нього темно
після нас - лиш «Мальборо» й таро

ну давай перекладемо диски
любить діамант Антон Кандинський
любить нас Нью-Йорк - а ми вино
наче птахи вже летять хасиди
крила в них – це плавники ставриди
це Marc Ecko впустить їх в вікно

він також кравець і носорожець
власник голки нитки шпульки ножиць
теж алкаш з ріжком і калашем
приліпив Антон його в картину
щоби Marc усе сказав Кардену
про мистецтво значить і воопше

KANDINSKY

Who is this painter Anton Kandinsky?
the music - like Ravel or Stravinsky
Mao in embrace with Cossack Mamay*
Melamid** knows about all this quite well
Komar** will have no reason to cavil
so you and I let's drink to that today

a provocateur punk and arms merchant
a guerrilla of art who's been tuning
the paint and color like an instrument
well such people should be placed under guard
therefore these escapees from the pop-art
are destined to sniff gas and to drink mead

roving waves or the sparkling Crimean
squash that is loved by Anton Kandinsky
he loves Sauvignon, Chardonnet, Merlot
formerly vodka was poured from tin cans
free of charge one used to booze up and dance
light at the end of the tunnel was not

what is happening now with art Anton?
outside the window in light New York drowns
and the Dnipro neither roars nor bellows***
and when the sense of art is in banknotes
on Broadway the sound will catch up with notes
thereby sculping out a finished Ravel

this blond young fellow our Andy Warhol
became a king here and even a god
Campbell's soup sipped by Marilyn Monroe
without complexes and kept to a theme:
there's darkness before him and after him
after us - just Marlborough and tarot

let us go and replace the music discs
loves his diamond Anton Kandinsky
New York loves us - and we love our wine too
by now the hasids are flying like birds
their wings - resemble the fins of the scad
Marc Ecko** **will let them in the window

he's also a tailor and a rhino
owner of needle thread spool and scissors
a lush with a clip and Kalashnikov
Anton has pasted Marc in the picture
so that he tells all to Pierre Cardin
meaning about art and everything else

*Cossack Mamay was the most popular image in the 17th-19th century Ukraine.
It was painted on walls, doors, chests and tiles
**Alexander Melamid and Vitaly Komar are Russian-born American graphic
artists. Both were born in Moscow, but emigrated to Israel in 1977 and then to
New York in 1978
*** A reference to well-known words by the Ukrainian poet Taras Shevchenko
(1814-1861)
****Marc Ecko is an American entrepreneur and founder of the Marc Ecko
clothing line

Покрова

хто прийде на празник на Покрову?
бачу при ставі стару корову
що зайшла у заячу капусту
прошмигнуть гостинцем мотоцикли
вийдуть люди постарілі з церкви
з співом на устах золотоустим

вже нема калік ані придурків
що до церкви йшли простягши руки
карамеллю не торгують — жвачки
а Володя що прийшов в піжамі
що живе на пенсію держави
в пилюзі сидить або в ній плаче

не прийдуть до нас стриї з стрийнами
келишків не доторнуть руками
бо кому іти й куди іти?
покрива Покрова їх й кропива
вічна пам'ять й панотця кропило
свічку і сірник їм засвіти

хтось прийде на празник на Покрову
вислухає притчу про полову
й монолог Володі без кашкета
що ж візьмеш коли воно причинне
і ніхто не знає в чім причина
у піжамі чи китайських кедах?

й два місцевих - ставши при Володі -
королі у крапленій колоді
вже залили балухи чорнилом
і забили на життя й сакральність
чуваки з минулим кримінальним
навіть на Покрову їх скосило

до Володі кажуть: що ж абсудім
про ціну життя у цім абсурді
той втікає схоже відберуть:
кілька гривень схованих в підкладку
барбарис дюшес і шоколадку
і рукав піжами віддеруть

хто прийде на празник на Покрову?
й принесе з собою пляшку рому
й музику баяна на бамбетлі
що сидить підвипивша й щаслива
в кишені напхавши сині сливи
розірвавши ґудзики і петлі

в комірі що тисне горло й жили
в пам'яті що жалить або жилить
на Покрову їдуть всі до всіх
златоусті співи й плач Володі
що лежить на скопанім городі
що в безумстві свому там приліг

POKROVA*

Who will come to the feast of Pokrova?
by the pond I see grazing an old cow
that walked into a field of sedum grass
motorcycles will flash by on the road
aged people will come out of the church
with golden-tongued chants flowing from their lips

no more lame or mentally disabled
who used to come to church with their hands out
no caramel sold - only chewing gum
while Volodya who came in pajamas
he who lives on a government pension
is just sitting or crying in the dust

uncles and aunts will not come to visit
their hands will not touch our festive glasses
for there is no one and no place to go
they all rest covered by soil and nettle
eternal memory and priest's blessing
strike a match and light a candle for them

one will come to the feast of Pokrova
hear the parable about the sower
the monologue of hatless Volodya
what can you take from a man who's insane
and no one knows what caused his condition
the pajamas or the Chinese sneakers?

two local thugs - standing by Volodya -
like the two kings in a marked deck of cards
their goggle eyes blood-shot from cheap red wine
not caring for life or a sacred place
these hooligans with a criminal past
even on Pokrova they got wasted

to Volodya they say: soon we'll decide
about life's price in this absurdity
he is running they're likely to rip off:
a few hryvnias** hidden in his lining
two kinds of candy and a chocolate bar
tearing off a sleeve from his pajamas

who will come to the feast of Pokrova?
and bring as a gift a bottle of rum
with accordion music on the bed
sitting inebriated and happy
having stuffed her pockets with purple plums
having torn off the buttons and slip-knots

with a collar squeezing her throat and veins
with a memory stinging and burning
 Pokrova is the day when all visit all
golden-tongued chants and cries of Volodya
who is lying in the dug-up garden
it is his madness that laid him down there

*Pokrova is the church feast of St. Mary the Protectress
**Hryvnia is the Ukrainian currency

Johnny Cash

Джонні Кеш з вітрини пильно стежить
що Лос Анджелес - це лох. Йому належить
перебрати струни для братви
-бритва полосне щоку навідліг-
пити тиждень на самотній віллі
запах лісу з запахом трави

Джонні Кеш – готівка - віскі в горлі
й туркотіння арканзанських горлиць
чорний светр під шию - срібло струн:
успіх - наркота - "Lincoln" і "Chevy"
ранішня блювота на пошевці
і вечірніх дзвонів синій струм

в місто ангелів евангеліст й апостол
входячи кульгаво як апостроф
сам скоротить час: життя і смерть
значить він апокрифи духовні
у псалмах залишить - і наповнить
бджолами густого слова мед

все зійдеться не в словах - то в цифрі:
що проциндриш це життя на цитрі
що ніщо не зберігає форми
навіть музика - рука твоя - твій спів
все наполовину чи напів-
знимка у крамниці Каліфорнії

ну, Лос Анджелес- ну, цегла - ну, стіна
хліб солений і морська піна
плюс шаленство - баби - лімузин
плюс струна що вгризлась в пушку пальця
плюс кермо й коліно — тверднуть яйці
мінус в тім що тут немає зим

Джонні Кеш на голівудськім схилі
в кожній пісні сам тримає хвилі
і тримає гриф - і згин гітари
Санта Моніку на Тихім океані
Хуаніти тіло на Хуані
в портсиґарі - цигарки й сиґари

музику як миш в церковній тиші
бідну - що й належиться цій миші
-в методиській пастві й лютеранській -
Джонні Кеш платить за все готівку
голос що заліг в магнітну плівку
чорний дрізд- зі шрамом — арканзаський

JOHNNY CASH

From a display window Johnny Cash is observing attentively
that Los Angeles - is a sucker. His thing is
to pluck the strings for his fans
- a razor will cut his cheek with a sweeping blow -
to booze it up for a week in a secluded villa
the smell of woods and grass

Johnny Cash – means moola - and whiskey washing down his throat
the cooing of Arkansas turtle doves
a black turtleneck sweater - the silver of strings:
success - drugs - a "Lincoln" and a "Chevy"
morning vomit on the pillow case
and the blue stream of the evening bells

entering the city of angels as evangelist and apostle
bent like an apostrophe
he himself will shorten his time: life and death
meaning that spiritual apocrypha
he will leave to the psalms - and will fill
with bees the honey of dense words

everything will come together not in the words - but in the tombstone dates:
that you will squander this life on a guitar
that nothing retains its form
even the music - your hand - your song
are cut in half like the torn half
of your photo in a California store

well, Los Angeles - bricks - walls
salty bread and foaming sea
plus the wild life - broads - limousines
plus the strings that cut into his finger tips
plus the steering wheel and the hand on a knee - causing arousal
minus that there are no winters here

Johnny Cash on the Hollywood mountain slope
in each song he himself is holding back the waves
and holds the frets and the body of his guitar
Santa Monica on the Pacific Ocean
Juanita's body on top of Juan
in his case - cigarettes and cigars

the music like a mouse in the stillness of a church
a poor one - as befits a church mouse
- in a Methodist and a Lutheran congregation -
Johnny Cash pays cash for everything
his voice embedded in a magnetic tape
a black mockingbird - with a facial scar - from Arkansas

Jardin

чоловіки виходять у домотканних пончо
з костелу - обсадженим помаранчами – їм забезпечують почет
дощ і зелена гусінь - прикривши ходи червоточин –
прикривши вихід і вхід

залишаться тут до ранку – як стіни суцільні й бруківка
коні й корови на схилах – запаху довга шнурівка
котру здоганя в підворітні обчухраний пес-каліка
йому вслід свистять бухі

«Chevy» старе з 70-тих - Пілар з молодим команданте
він носить військову сорочку – і профіль вигнанця Данте -
схоже вони прилишились щоб з нами трохи піддати
і скоротати ніч

злива котра прошуміла принісши каміння і морок
коханцю Пілар - під тридцять а їй вже давно за сорок
зимові дощі не вічні - а їй же признатись сором
- пошепки віч-на-віч -

рипне щоночі клямка - педаль «Шевролє» чи клапан -
хтось під вікном готельним в ніч свою прочалапав
а поруч спини тремтіння - і манґо задушливий запах
з цезарками і курми

тут ще зима - а потім виставлять дощ на Facebook'у
пишучи вірші щоранку можеш набити руку
можеш спіймати погляд який співрозмірний звуку
й зливам серед зими

й цим придорожнім шахтам - мокрим мішкам з вугіллям
селянам що сходять в неділю групами як на весілля
цим робітничим селищам – втомленим - що присіли -
в глиняний товщ

тому це містечко в горах сто років в дощах - й столітні
висовують морди назовні бездомні пси з підворітні
у дверях господар курить - а дві індіянки вагітні
минають його і дощ

постукують пальці дощами глиною й гострим камінням
похитується на швидкості водій і його кабіна
і поліцейський при мості - і міст - і стебло карабіна
і дерев'яний Христос

війна це лице Че Гевари що носить молодь Колумбії
це черепиця і глина - Casa культури - клуби і
вартовий поліцейський з очима консервної скумбрії
залитій в томатний морс

це кавування в опівніч на площі перед костелом
це дощ що тебе посріблить і нитку світла простелить
Пілар що пускає з димом свої таємниці під стелю
- срібні браслети змійок -

у цій випадковості місто - цей сад помаранчі - і "Chevy"
це відчуття що нині життя й наркота дешеві
і що прощання з марксизмом – це вірші прості й душевні
-подряпини що не змию -

це відчуття чужого що завтра залишить місто
що смикне разом зі світлом тільки разок намиста
візьме кілька вулиць з псами – і навиками садиста
притлумить цвіт помаранч

який забиває ніздрі - й вітанням в крамниці *буенос*
що схоже на глину й рослини - й повітря як послід зелене
і футболіст в телевізорі – блиснуть фінти й перстені -
в падінні втрачає м'яч

й останні у цьому сезоні дощі й футбольні матчі
збираються після служби при телевізорі мачо
викрикують сперечаються - суддя помилився й призначив
сумнівне пенальті

і кожен масивну руку із сіткою жил - на мачете
і в дощ цей зелений на полі суддю як теля замочити
і витерти лезо мачете в траву щоби зразу навчити
футбольних понятій

я місто це із футболом залишив — корови й собаки
залишаться з помаранчами, їх соком липким - їх смаком
дощем що залишиться з ними - що їм забиває баки
відносно ста літ

бо час що пливе по бруківці тримається й за одвірки
на площу виходить слово - вовіки віків й навіки —
перебігає вулицю сполоханий пес-каліка
цей біг потребує століть

бо що я тут зможу сказати: за ніч нас завалить водою
і спорожніє площа — що плентатиметься за тобою
й будинки зійдуться докупи і стануть одною стіною
може як вірш

і будуть стояти при тобі арепа іспанської мови
і будуть летіти на крилах сині молочні корови
ну а червоні пасуться — і роги їх як корони
тримають підсвічники гір

JARDIN*

men in home-woven ponchos emerge
from the church - surrounded by orange trees - their retinue provided by
the rain and green caterpillars - covering the wormhole tracks -
covering the exit and entrance

they'll remain here until morning - like the massive walls and cobblestones
like the horses and cows on the slopes - a long shoelace of smell
with which a scratchy crippled dog catches up in the foyer
drunks whistling at his heels

an old "Chevy" from the 70's - Pilar with a young "comandante"
he wears an army shirt - and the profile of an exile from Dante -
it's likely they stayed behind so as to tie one on with us
and shorten the night

the downpour blew over bringing rocks and darkness
Pilar's lover - is almost thirty while she's well over forty
the winter rains are not forever - but for her this is embarrassing to admit
-whispering face-to-face

squeaking every night is the doorknob - the pedal or valve of the "Chevrolet" -
under the hotel window someone walked barefoot in the mud
while close by a trembling back - and the suffocating scent of mangos
with guinea fowl and chickens

here it is still winter - but later they'll post the rain on Facebook
writing poetry each morning you can gain experience
you can catch a glance equivalent to the sound
and the winter downpours

and to these roadside mine shafts - to the wet sacks of coal
to the villagers who descend on Sunday in groups like a wedding party
to these workers' settlements - tired - squatting -
in the clayish slime

therefore this little mountain town has survived a hundred years in the rains - and the centennial
stray dogs poke their snouts out of the foyers
in the door the proprietor is smoking - while two Indian women pregnant
bypass him and the rain

fingers are drumming like the rains the clay and sharp stones
from the speed the driver and his cab are rocking
and the policeman at the bridge - the bridge - and the stalk of a rifle
and the wooden crucifix

war is the face of Che Guevara worn by the youth of Colombia
it is the tiles and clay - the Casa of culture - clubs and
the police guard with the eyes of a canned mackerel
covered in tomato juice

it's drinking coffee at midnight in the church square
it's the rain that casts a silvery glow on you and Pilar spreads a thread of light
letting loose her secrets with smoke up to the ceiling
- the silver bracelets of the snaking puffs -

in this instance the town - this orange orchard - and the "Chevy"
give the feeling that today life and dope are cheap
and that bidding farewell to Marxism - are verses simple and from the soul
- scratches that cannot be washed away -

this is the feeling of a stranger who will leave this town tomorrow
together with the daylight he will snatch only a string of corals
and capture a few of the streets with the dogs - and with the habit of a sadist
stifle the orange blossoms

which stuff the nostrils - and in a store with the greeting "buenos"
resembling clay and plants - and the air green like chaff
and a soccer player on television - flashing feints and rings -
falls down after losing the ball

and at the end of the season of rains and soccer matches
after work by the television gather the machos
shouting arguing - the referee made a mistake by awarding
a dubious penalty

and everyone places his massive sinewy hand on a machete
ready to slaughter the ref like a calf in this green rain on the field
and to wipe the blade of the machete on the grass so as to teach him right away
what's what in soccer

I left this town with its soccer - the cows and dogs
will stay behind with the oranges, their juice - their gluey taste
the rain that will remain with them having baffled them
for one hundred years

for the time that flows on the cobblestones holds fast and beyond the doorposts
onto the square emerges the word - for ages and ages - and forever
the startled crippled dog crosses the street
this run requires centuries

for what more can I say: over night we'll be inundated with water
and the square will empty - shadowing you
and the buildings will merge and become a single wall
perhaps like a poem

and beside you will stand the arepa** of the Spanish language
and the blue milch cows will fly on their wings
while the red cows are grazing - and their horns like crowns
are holding up the candelabra of the mountains

*Jardin is a town in Colombia
**Arepa are pancakes made of corn flour

Нью-Йоркська зима

Голуб нью-йоркський летить над Бродвеєм.
Ханука світить свічки для євреїв.
Брайтон скуповує водку і чай.
Знову Різдво - три царі - й поліцейські
світять мигалки: зірки вифлеємські.
Знову розпродаж і знову печаль.

Кілька пожежних й швидка розпороли
тишу що схожа на лист прокурора
білий - із цятками літер і чайок-
або на сніг на дахах парасольок.
І випадково натрапиш на слово
що відігрітись забігло до чайни

Ці хмародери що змерзли вже в грудні
збились докупи на лаві підсудних
схожі на Santa й святих Миколаїв
схожі на подушку й на подарунки
на карамель з гастроному - і руки
колядників що в кишенях ховають

Можна звичайно пройтися з пророком
поміж снігами і поміж Нью-Йорком
поміж Джуринкою і ковблями
й снігом який підмивала ця річка
що приховала шипшина-калічка
й заколядованими рублями

але в Нью-Йорк православні миряни
колядники оф Бродвею й Вірляни
їм цей Бродвей і сніги по цимбалах
всі ці цибаті будинки сусідні
сакси тромбони срібні і мідні
їде поволі з Волощини валах

Можна – звичайно - з собою забрати
потяги слів що прибились на Брайтон
кухню єврейську - ґефілте фіш
чорну ікру - оренбурзькі хустини
можна звичайно словами простими
переказати цю зиму як вірш

Десь на Бродвеї розпродаж товарів.
Блудить Бродвеєм зима як товариш.
Значить Нью-Йорк зачекає на сніг
просто життя засвітилось вогнями
і не потрібно цих слів поміж нами
а над Дитятком - вухо і ріг

WINTER IN NEW YORK

A New York pigeon flies above Broadway
Chanukah lights up candles for the Jews
Brighton is buying up vodka and tea
it's Christmas again - three kings - And flashing
police lights: stars of Bethlehem.
Again the sales and again grief.

A few fire trucks and ambulances have pierced
the stillness that resembles a prosecutor's message
white - with specks of letters and seagulls -
or the snow on the tops of umbrellas
And accidentally you'll hit upon a word
that dropped into the tearoom in order to warm up

These skyscrapers that froze as early as December
are bunched together like a jury
resembling Santa and St. Nicholas
resembling a pillow and presents
resembling the caramel from a candy store - and the hands
of the carolers who hide it in their pockets

Of course it is possible to stroll with the prophet
amid the snows and amid New York
amid the Dzhurynka* river and the mudfish
and the snow eroded by this river
disguised by a deformed dog rose
and amid the rubles earned by the carolers

but in New York there are Christian laymen
the carolers from off Broadway and Virlana**
who don't give a damn about this Broadway and the snow
all those neighboring long-legged buildings
saxes trombones made of silver and copper
arriving slowly is a man from Wallachia

Of course - it is possible - to take away
the trainloads of words that landed in Brighton
Jewish cooking - gefilte fish
black caviar - Orenburg kerchiefs
of course it is possible with simple words
to report this winter as a poem

Somewhere on Broadway there are sales of merchandise.
Winter is roaming Broadway as your companion
Meaning New York will wait for the snow
life has simply lit up like fires
and there's no need for these words among us
while above the Child - an ear and a horn

*Dzhurynka is a river from Vasyl Makhno's childhood in Ukraine
**Virlana Tkacz is Director of the Yara Arts Group, which brought to New
York carolers from Ukraine for the 2010/2011 Christmas season

Vasyl Makhno is a Ukrainian poet, essayist, and translator. He is the author of seven collections of poetry: *Skhyma* (1993), *Caesar's Solitude* (1994), *The Book of Hills and Hours* (1996), *The Flipper of the Fish* (2002), *38 Poems about New York and Some Other Things* (2004), *Cornelia Street Café: New and Selected Poems* (2007), and most recently *Thread and Selected New York Poems* (Spuyten Duyvil, 2009). He has also published a book of essays *The Gertrude Stein Memorial Cultural and Recreation Park* (2006), and two plays *Coney Island* (2006) and *Bitch/Beach Generation* (2007). He has translated Zbigniew Herbert's and Janusz Szuber's poetry from Polish into Ukrainian, and edited an anthology of young Ukrainian poets from the 1990's. Makhno's poems, essays and plays have been translated into some one dozen languages. In recent years volumes of his selected poems were published in Poland, Romania and USA. In English, his poems and essays have appeared in *AGNI, Absinthe, Post Road, Poetry International, Interlitq* (UK), *International Poetry Review* and *Mad Hatters'Review*. He has been living in New York since 2000.

Orest Popovych, the translator, is Professor-Emeritus at Brooklyn College of the City University of New York, and the President of the Shevchenko Scientific Society, USA. He is the author or editor of 4 books in English and one in Ukrainian. A collection of 33 of his English translations of Vasyl Makhno's Ukrainian poetry has been published as part of their bilingual book titled "Thread and Selected New York Poems" (Spuyten Duyvil, New York, 2009), for which the translator was awarded by the American Association for Ukrainian Studies "The AAUS 2010 Prize for Best Translations from Ukrainian into English". His individual English translations of Vasyl Makhno's poems have appeared in *AGNI, , Poetry International, Interlitq* (UK), *International Poetry Review* and *Mad Hatters'Review*.

SPUYTEN DUYVIL

Meeting Eyes Bindery
Triton

LIGHT HOUSE   Brian Lucas

LIGHT YEARS: MULTIMEDIA IN THE EAST
                    VILLAGE, 1960-1966   (ed.) Carol Bergé

LITTLE BOOK OF DAYS   Nona Caspers

LITTLE TALES OF FAMILY & WAR   Martha King

LONG FALL: ESSAYS AND TEXTS   Andrey Gritsman

LUNACIES   Ruxandra Cesereanu

LUST SERIES   Stephanie Dickinson

LYRICAL INTERFERENCE   Norman Finkelstein

MAINE BOOK   Joe Cardarelli (ed.) Anselm Hollo

MANNHATTeN   Sarah Rosenthal

MATING IN CAPTIVITY   Nava Renek

MEANWHILE   Gordon Osing

MEDIEVAL OHIO   Richard Blevins

MEMORY'S WAKE   Derek Owens

MERMAID'S PURSE   Laynie Browne

MOBILITY LOUNGE   David Lincoln

THE MOSCOVIAD   Yuri Andrukhovych

MULTIFESTO: A HENRI D'MESCAN READER   Davis Schneiderman

NO PERFECT WORDS   Nava Renek

NO WRONG NOTES   Norman Weinstein

NORTH & SOUTH   Martha King

NOTES OF A NUDE MODEL   Harriet Sohmers Zwerling

OF ALL THE CORNERS TO FORGET   Gian Lombardo

OUR FATHER   M.G. Stephens

OVER THE LIFELINE   Adrian Sangeorzan

PART OF THE DESIGN   Laura E. Wright

PIECES FOR SMALL ORCHESTRA & OTHER FICTIONS   Norman Lock

A PLACE IN THE SUN   Lewis Warsh

THE POET : PENCIL PORTRAITS   Basil King

POLITICAL ECOSYSTEMS   J.P. Harpignies

POWERS: TRACK 3   Norman Finkelstein

PRURIENT ANARCHIC OMNIBUS   j/j Hastain

RETELLING   Tsipi Keller

RIVERING   Dean Kostos